すぐに役立つ

# 中国人とうまくつきあう実践テクニック

吉村 章

総合法令出版

## ■まえがき

本書を1冊読めば、中国でビジネスを進める上で、まずは知っておかなければならない重要なポイントがすぐにわかります。

本書は、筆者がこれまで中国ビジネスの現場で直面した課題や自分自身の経験から学んだこと、中国や台湾の友人から教えられたことなどを、中国ビジネスで最低限理解しておきたい事柄の実践テクニックとしてまとめたものです。中国ビジネスの「基本の基本を徹底的に理解すること」「実践ですぐに役立つポイントをわかりやすくまとめること」「中国人の価値観をさまざまな切り口から多角的に理解すること」の3つを念頭にまとめました。また、中国人ビジネスマンの仕事観や就業意識、中国人の価値観やコミュニティ感覚を、図表を使ってできるだけわかりやすくまとめてみました。

中国ビジネスでは、知ってさえいれば犯さなくて済むミスがたくさんあります。「贈り物」の品物選び、お酒の席での禁止事項など、知らないというだけで相手に失礼な印象を与えてしまう事柄があります。また、仕事の指示の仕方やビジネス折衝でも、彼らの価値観や考え方の背景を知ってさえいれば、大きなコミュニケーションギャップを生まずに済むことがたくさんあります。

筆者は台湾をスタートに、中国人と20年以上にわたってビジネスやプライベートでつきあってきました。現在も現役ビジネスマンの1人として中国人や台湾人と接する毎日を送っています。おかげさまで最近は「中国人とのコミュニケーションの仕方」というテーマで講演や研修の講師としてお話をする機会が増え、みなさまの悩みをお聞きすることが多くなりました。お話を聞くなかで「なるほど」と共感できることもある一方、「こんなこともご存知ないのか」と驚く部分も多々ありました。そこで、これまでのビジネス経験や研修を行うにあたって整理した事柄を1冊にまとめてみればもっと多くの方々に役立つのではないかと思ったのが、本書の執筆の動機です。

多くの企業やビジネスマンは、中国人とのつきあい方で悩んでいるのが現実です。同じアジアの一員とはいえ、日本とは大きく異なる風土・文化や慣習、価値観の中で育ってきた中国人の考え方や行動様式に頭を抱えているのです。それが「中国人は約束を守らない」「常識が通じない」「信用できない」などの声になって現れています。

しかし、そのように考える前に、まずは本書を読んでみてください。今までとは違った中国人の一面が見えてくるはずです。中国ビジネスでみなさんが乗り越えなければならない「壁」を突破するヒントが、この本にはあるはずです。

●まえがき

もちろん、一口に「中国人」と言っても、現実にはさまざまな価値観を持った人々がいます。中国は56の民族が同居する異文化国家です。その95パーセントは漢民族ですが、同じ漢民族の中でもその価値観は多種多様です。

日本人は物事を型にはめて、パターン化して理解しようとする傾向がありますが、中国人を1つの型にはめてステレオタイプに理解することはそもそも無理があります。

実際、筆者は、中国ビジネス研修で、中国人を理解するときは「色が違う4つのフィルターをイメージしてください」と話します。4つのフィルターとは、「地域差」「世代差」「業界・職業差」「学歴・経歴差」です。4つのフィルターを重ね合わせることによって、さまざまなグラデーションが浮かび上がります。この色の組み合わせの数だけ多種多様な価値観を持った人がいるのが中国です。

「地域差」とは、文字通り、地域ごとに違う考え方の違いです。上海人、北京人、広東人、東北人などなど、中国人を1つと見るのではなく、地域によってまったく違った人たちという見方でフィルターを覗いてみてください。台湾や香港も同様です。中国と台湾を比較するのではなく、上海人、北京人、台湾人、香港人という視点で、そのグラデーションを見ると、気づかなかったものがクリアに見えてきます。

2つ目のフィルターは「世代差」です。80後、90後、改革解放世代、文革世代、建国世代など、さまざまな世代の切り取り方があります。

3つ目は「業界・職業差」というフィルターです。中国には、ビジネスパーソンだけでなく、農民、公務員、教師、医者、弁護士、軍人、政治家など、さまざまな職業があり、業界によって、働いている人たちの分野によって、さまざまな価値観や考え方を持った人がいるはずです。

最後のフィルターは「学歴・経歴差」です。高等教育を受けた人、初等教育だけの人、海外留学経験者、研究者としての経歴、技術者としての経歴、匠の技を持った熟練工などなど。

こうした4枚のフィルターが醸し出すグラデーションは幾十通りにもなるはずです。型にはめて中国人を理解すること自体意味がないことかもしれません。

本書では、対象をビジネスの上でみなさんと接点を持つ機会が多いであろう中国人ビジネスパーソンに絞り、その価値観や考え方を最大公約数の部分でうまく切り取って、4つのフィルターを意識しながらまとめてみました。取引先の中国人、中国人経営者、同僚や部下の中国人、指導する対象となる中国人研修生や中国人技術者、またはワーカーなどです。

すぐに役立つ知識、身につけていただきたい知識、みなさんの行動指標となるような実践的な内容を意識して執筆しました。中国ビジネスの基本理解を深めるためのランドマークの1つとして、まずは本書をご一読ください。みなさんのご感想、ご意見、ご批判を賜ることができましたら幸いです。

# ●目次



## 第1章　中国ビジネスの注意ポイント

## 第2章 中国人の価値観とコミュニティ感覚

## 第3章 中国人の仕事観と就業意識

## 第4章 中国人ビジネスマンを理解する

## 第7章 中国式テーブルマナーとお酒の飲み方

## 第8章 中国ビジネスへの挑戦

装丁　折原カズヒロ
本文イラスト　池田八恵子
本文組版＆図表　横内俊彦

# 第1章

## 中国ビジネスの注意ポイント

## 「没有問題《メイヨウウエンティ》」(問題なし)と言う中国人は「問題あり」

### ~3つの「没有《メイヨウ》」に気をつけろ~

中国人ビジネスマンが口癖のように使う言葉の1つに「没有問題《メイヨウウエンティ》」があります。日本語にすると「問題ありません」という意味です。中国ビジネスの中で、この「没有問題」をいやというほど聞かされてきた経験をお持ちの方も多いはずです。実は私もその1人です。しかし、この「没有問題」を連発する中国人の言葉をそのまま鵜呑みにしてしまうことは大変危険です。

中国ビジネス通の日本人ビジネスマンは、皮肉の気持ちを込めて、「口癖のように『没有問題』を連発する中国人は、絶対に『有問題《ヨウウエンティ》』、つまり問題がある」と言います。「問題なし」は「問題あり」と心得よ。ちょっと疑ってかかったくらいのほうがいいようです。

本当に問題なくスムースに事が進んでいるかどうかは、必ずチェックが必要です。本当に順調なのか、本人自身も気づいていないのではないか、本人は問題に気づいてはいるがたいしたことはないと思っているのではないか、彼の様子をよく観察しながらじっくり考えて判断する必要があります。もしかしたら、意図的に問題を隠しているのかもしれません。
「没有問題」という中国人の言葉は、「わかりました」という挨拶程度の言葉と受け止めておいたほうが無難です。「まったく問題がないはずはない」と考えたほうが賢明です。おそらく彼らは悪意を持って意図的に問題を隠しているわけではないでしょう。口癖のように「没有問題」を連発してしまうのが中国人なのです。

　中国人はもともと「ホウレンソウ」、つまり「報告」「連絡」「相談」が苦手です。お互い密接に連絡を取り合って仕事をするという習慣がありません。問題を他人に知られたくない、問題の発覚をぎりぎりまで隠したがる、協力して問題を解決するのではなく「自分流」で処理する、こういったマイナスの一面を持っています。

　また、中国人とのコミュニケーションでは、3つの「没有」に気をつけなければなりません。最初は「没有問題」を連発していた中国人が、次に「没有関係《メイヨウクアンシィ》」という言葉を使うようになります。「没有関係」とは、日本語で「気にしないで」という意味で、「私には関係ない」という意味ではありません。「大丈夫、大丈夫。気にしなくてもいいですよ」という意味です。
「没有問題」の次が「没有関係」です。しかし、「没有関係」が出てくる段階になると、その「問題」はかなり深刻な状況に陥っているはずです。この段階で「問題」を見つけ出し、手当てをしないと手遅れになります。「没有関係」の段階は問題発見の最後の機会だと思ってください。

そして、最後に出てくる言葉が「没有弁法《メイヨウバンファ》」です。これは日本語にすると「もうだめです」「仕方ないです」という表現です。「自分はできる限りの手を尽くしたけれど、これは不可抗力です」という意味です。「あきらめ」「責任逃れ」「言い訳」のニュアンスも含みます。

もし、中国人が「没有弁法」を言い出したら、そのときはもうあきらめるしかありません。つまり、問題点の洗い出しはその前の「没有関係」の段階で徹底的にやっておくことが必要です。さらに問題が深刻になる前の「没有問題」の段階から、相手の話を鵜呑みにせず、1つひとつ事柄をチェックするべきなのです。

「没有問題」「没有関係」「没有弁法」、これからみなさんはこの3つのフレーズを頻繁に聞くことになるでしょう。「3つの『没有』に気をつけろ」は中国ビジネスを進めていく上で、基本中の基本となるキーワードです。

## 食事をご馳走しても、翌日お礼を言わない中国人
### ～翌日に改めてお礼を言うのは「催促」の意味になる～

「昨日はごちそうさまでした」という一言を言わない中国人がいます。日本人なら言うことが「当たり前」の一言ですが、どうやら中国では事情が違うようです。日本の「常識」が実は「常識」ではない事例を見ていきましょう。

上海に駐在する田中さん（仮称）は部下である陳さん（仮称）を居酒屋に連れ出しました。日ごろ陳さんとゆっくり話をする時間がなかったので、仕事の後で彼を食事に誘い出し、部下の話をじっくり聞いてやろうと思ったわけです。

しかし、翌日の朝、会社で顔を合わせても、「おはようございます」の一言があっただけで、彼はいつもと同じようにパソコンに向かって黙々と仕事をしています。「昨日はごちそうさまでした」という一言を期待していた田中さんは、少しがっかりしました。

「お礼の一言もない礼儀知らずな奴だな……」「昨日あれだけご馳走して話を聞いてやったの

に、ありがとうございましたの一言もないのか……」と田中さんは思いました。みなさんの中にも同じように感じる方がいらっしゃるのではないでしょうか。

それでも田中さんは昨日の居酒屋でのことを思い出しながら、「何か気に障ったことを言ったかな?」「食事に誘い出すのはよくなかったかな?」と反省しています。どうして「昨日はごちそうさまでした」という一言がなかったのか田中さんは真剣に考え込んでしまいました。

昨日は陳さんと飲みながら仕事の状況を確認したり、会社や同僚への不満がないかどうかを聞いたり、個人的にも親交を深めることができたと考えていた田中さんですが、逆に「本音で話ができるような関係作りにはまだ時間がかかるかな」と自信をなくしてしまったようです。

しかし、ここには見落としがちな重要なポイントがあります。実はこのようなケースの場合、中国人の多くは翌朝会社で顔を合わせても「昨日はごちそうさまでした」というお礼の言葉は言わないのです。陳さんにとっては、お礼を言わないことが「常識」なのです。

翌朝、改めてお礼を言うということは、「また私にご馳走してくださいね」という「催促」の意味になります。つまり、陳さんは「いつもご馳走してもらっては申し訳ない……」「催促をするのは、はしたないこと……」という気持ちが背景にあり、「昨日はごちそうさまでした」という言葉をあえて言わなかったわけです。

食事会が終わって2人が別れるとき、陳さんは田中さんに「ごちそうさまでした」「ありがとうございました」とお礼の言葉をすでに言っているはずです。中国人は「お礼すべきことはその場で済ます」という考え方もあります。翌日に持ち越さずに、陳さんは田中さんにその場でちゃんとお礼を言っているはずです。

「昨日はごちそうさまでした」と言うことは「また私にご馳走してくださいね」という催促の意味です。中国人のこのような考え方を知っていれば、田中さんは余計なことに悩まずに済んだわけです。これは「知らなかった」ということで生まれるコミュニケーションギャップの事例の1つです。

日本的な「常識」が海外ではそのまま通じないことがあります。「あれっ、おかしいぞ」と思ったら、まず自分たちの「常識」を疑ってみることです。異文化理解を深めることは「当たり前」と思っていることを再点検してみて、相手との違いに気づくことから始まります。

## 中国人をもてなすとき、冷たい食事はNG
### ～有名料亭の高級弁当よりもコンビニ弁当のほうがいい？～

中国からお客様を迎えるとき、社内を見学してもらったり、プレゼンテーションやミーティングを行うほか、会議室で昼食を済ませるということがあります。

このとき、会議室で食べていただくお弁当が、「冷めた」弁当だとアウトです。基本的に中国人は「冷めた料理」は食べません。たとえ1個2000～3000円もするような有名料亭の高級弁当であっても、冷めたお弁当はNGです。中にはまったく箸をつけない中国人もいます。むしろ電子レンジで「チン」した熱々のコンビニの弁当のほうが喜ばれます。

テレビのグルメ番組で、冷めても美味しいてんぷらの揚げ方、冷めても美味しくいただけるご飯の炊き方を工夫している料亭の話がありました。日本的な気配りや職人のこだわりを感じさせる番組でしたが、中国人には冷めた弁当は通用しません。冷めたものは冷めたものです。

また、週末を利用して中国から来たお客様を一泊二日で箱根や熱海などにご案内して観光を楽しんでいただく場合、同じ理由で、温泉旅館の夕食も要注意です。

夕食は大広間です。ゆっくり温泉に入って、着慣れない浴衣を着て大広間に集まると、お膳が並べられています。お膳の上には半紙がかけられて、焼き魚やてんぷらが並んでいます。

しかし、こういった料理も残念ながら中国人には不評です。熱々でないからです。午後の時間帯にまとめて揚げたてんぷら、サラダの付け合せの冷たいスパゲティ、小鉢の煮物など、ほとんどの中国人は箸をつけないのではないでしょうか。

ただし、固形燃料にその場で火をつけて出す一人用の鍋や煮物、焼きものなどの料理はＯＫです。同様に、熱々で出される茶碗蒸しも中国人には好評です。

中国人にはとにかく「熱々の料理を出す」ということを、ホスト役の日本人としてはぜひ心得ておきたいことです。いくら美味しい料理でも、いくら高級な料理でも、冷めた料理を出しては大切な接待の場が台なしです。

中国にも「冷盤《レンパン》」といってメインディッシュが出てくる前に出されるオードブルがあります。これらを除けば、中華料理のほとんどの料理は火を通して熱々のものを出すのが原則です。

したがって、刺身やサラダを出す場合は、念のため食べられるかどうか確認をしたほうがいいでしょう。刺身や寿司は人気がある日本料理なので、日本で本場の料理を食べたいと考えている中国人もいます。「刺身やお寿司は大丈夫ですか？」と一言確認するといいと思います。

## 中国は主張することが評価される文化
### ～主張をぶつけ合い、お互いの考えや価値感を確かめ合う～

最近、日本でも中国人をよく見かけるようになりました。姿格好は日本人とあまり変わらないので中国人だと気づかないケースもありますが、彼らが話している様子を見ればすぐに中国人だとわかります。大きな声でまるで喧嘩をしているかのような話し方をするのが特徴の1つだと言えるでしょう。

もちろん個人差はありますが、一般的に中国人は声が大きいようです。言うべきことを遠慮なく主張し、身ぶり手ぶりを交えて全身を使って「自己主張」をするのが中国人です。他人の意見に耳を傾けず、とりあえず自分の主張を機関銃のように一方的に喋りまくる様子にはいつも圧倒されます。

中国は「主張することが評価される文化」と言われています。大きな声で「自己主張」することが「当たり前」なのが中国です。一方、日本は「主張する」ことよりも、相手の立場や気持ちを考えて「譲り合う」ことを大切にする文化と言えるでしょう。

上海で地下鉄に乗ると、日本の地下鉄の車内とはまるで違う光景に驚かされます。大きな声でおしゃべりをしているおばさんたち、周りの人を気にせず携帯電話で話をしているビジネスマン、眉間にしわを寄せて一方的に自分の主張を力説しているおじさん、いろいろな人たちの声が飛び交い、車内アナウンスが聴き取れないほどです。

一方、上海から日本に戻って地下鉄に乗ると、中国の地下鉄との違いを痛感させられます。シーンと静まり返った車内、携帯画面を見つめて一心不乱にメールをしている乗客、イヤホンを耳にじっと自分の世界に入り込んでいる若者など。この一種独特な雰囲気は、中国とは別の意味で違和感を覚える不思議な空間です。初めて日本に来る中国人が見たら、あまりの静けさにきっとびっくりするでしょう。

また、中国の伝統的な市場を訪れると、そこで買い物をしている人たちはまるで朝から喧嘩をしているようです。新鮮でいい野菜を少しでも安く手に入れようと、価格交渉が始まります。1元、2元の値引き交渉から、「おまけをつけてよ」「まとめて買うから安くしてよ」という駆け引きの攻防まで、「お願い」というより命令口調で、「もっとまけてよ、もっとサービスしなさい」と大声を張り上げて何度も自分の主張を繰り返します。

日本では決められた価格で、不公平感がなく、みんなが同じ条件で、安心して買い物ができるのがよいことです。価格交渉の煩わしさや交渉の上手下手によって生じる不公平感は敬遠されて、面倒な値引き交渉よりも安心して買い物ができるほうが好まれます。

しかし、中国では「値切る」ことが買い物をするときの基本です。何気ない日常の生活シーンの中でも主張すべきことをはっきり主張することを子供の頃からしっかり鍛えられています。肌にしっかり染みついた皮膚感覚で「主張する」能力を身につけているのが中国人です。

自分の存在を周囲に認知させ、自分のポジションを作り出し、そのポジションを維持して守り抜くために、生き残りの処世術として「自己主張」は欠かせない能力だったのかもしれません。

中国ではすべてが「主張することが評価される文化」です。日本人のように相手の立場や気持ちを考えて、互いに譲り合ってどこかに折り合いをつけながら生きていくのではなく、主張すべきことをはっきり主張するのが中国人です。イエスなら「イエス」と言い、ノーなら「ノー」と言う。時には主張と主張がぶつかり合いになって激論を戦わせる。これが中国流の「自己主張」です。

「中国人は自分の主張ばかり通そうとする」「中国人は利己主義だ」「中国人は自分のことしか考えない」と考える前に、われわれ日本人はどうなのかを振り返ってみたいと思います。

日本では、ストレートにものを言う人は嫌われる傾向にあり、遠まわしな言い方や婉曲的な表現をして、相手に悟らせるような言い方、相手が悟ってくれることを期待する言い方をします。

日本語に「空気を読む」という言葉があります。雰囲気を感じ取り、言葉にしなくても相手の言いたいことや期待している行動を察するという意味です。日本人同士で価値観やその背景理解が共有できていれば、多少曖昧な言い方をしても話が通じます。

2人が置かれている状況を互いに理解して、相手の気持ちを察しながら行動していくことは極めて日本的なコミュニケーション方法です。空気が読める人がいい人で、空気が読めない人はダメな人です。

しかし、中国では「主張することが評価される文化」です。日本人的な発想で中国人と接すると必ずコミュニケーションギャップが生まれます。「相手の気持ちを察しながら」「お互い譲り合って」「相手の悟りを期待する言い方」は中国では通用しません。

中国人はそれぞれさまざまな価値観を持っています。「まず自分たちの意見を主張しなければ相手との考え方の違いがわからない」と考えます。「場の雰囲気を感じ取る」「相手の考えを察する」「空気を読む」のではなく、お互い主張すべきことは徹底的に主張し、主張と主張をぶつけ合いながら、お互いの考えや価値観を確かめ合い、コミュニケーションを深め、信頼関係を築いていくわけです。

## 中国流の議論は論点の「消去法」で進んでいく
### ～言いたいことを徹底的に出し尽くして、論点を絞り込む～

主張すべきことは主張し、主張と主張をぶつけ合い、主張を出し合った上で双方の違いを確認する。主張し合う中から接点を探り、コミュニケーションを深め、信頼関係を築いていく。これが中国流のコミュニケーションスタイルです。時にはまるで喧嘩をしているかのような激論になります。

主張したいポイントをはっきり相手に伝えるのが「中国流」です。日本人のように場の雰囲気を感じ取り、相手の気持ちを考えたり、考えていることを察したりしながら発言するのではなく、言いたいことをストレートにはっきり言うのが中国人です。

彼らの主張に反論すると、必ずと言っていいほどその反論が返ってきます。その反論にまた反論すると、相手はまたその反論を返してきます。このように反論に反論を繰り返しながら、時には論点をすり換えて話をかき回し、徹底的に言い合うのが「中国流」のコミュニケーションです。

相手の立場や気持ちを考えて、遠まわしに表現し、相手に悟らせるような言い方をする「日本流」のコミュニケーションスタイルと根本的に違うことをまず理解しておくべきです。

中国人を観察していて気づくことがあります。彼らの議論はどうやら「消去法」で行っているようです。まずは言いたいことをすべて出し合う。次にお互いの主張を1つひとつ査定する。そして最後は「消去法」で論点を絞り込んでいくのです。私たちも中国人との議論をこの「消去法」で進めてみると、日本人同士の議論よりかえってスムースに進むかもしれません。

まず、お互いの主張をストレートにぶつけ合います。こちらが言いたいことをはっきりと相手に言います。相手も同じように自分が言いたいことを遠慮なく主張してきます。主張すべきことは遠慮なく主張することがポイントです。

ひと通り言いたいことを言い合ったところで、お互いの主張を査定していきます。自分にとって分が悪いこと、相手のほうに正当性がありそうな主張を取り下げていくのです。これはこちらに正当性があるポイントに論点を絞り込むためと言ってもいいでしょう。実際に体験した事例から具体的なケースを見てみましょう。

劉さん（仮名）と郭さん（仮名）が交差点でクルマの接触事故を起こしました。交差点の出会いがしらの接触事故です。幸い、どちらにもケガはなく、警察や保険会社を呼ぶほどではありません。その場の示談で済みそうな軽い事故です。ボディに傷をつけたとか、ドアを擦ったとか、軽い接触事故の場合、道端に車を停めて示談交渉をして、その場で修理代をやり取りして解決してしまうことがよくあります。

運転席から降りてきた劉さんは、「どうして一時停止しないんだ。徐行していなかったじゃないか」といきなり自分の主張をまくしたてます。一方、郭さんも「制限速度は守っていた。そっちこそ、もっと左右を確認して交差点に入るべきだ」と負けずに反論します。

こんなとき日本人同士ならどうでしょうか？　「すみません」が無意識に出る最初の言葉になるはずです。「すみません、ついうっかりして」「申し訳ありません。お怪我はありませんか？」とまずは相手を気づかい、話し合いの雰囲気作りから入るのが日本人です。

しかし、郭さんも劉さんも「すみません」という言葉はありません。これは自分に過失があったことを自ら認めることになるからです。そう簡単に「謝らない」のが中国人です。

郭さんの反論に対して、劉さんも負けずに「そっちは携帯電話をしながら運転していたじゃないか」とか、「停止線を越えて止まったら、それは一時停止にならない」と反論します。

一方、郭さんも「そっちこそカーナビに気をとられていたんじゃないか」とか、「そっちは徐行区間なのに制限速度を超えたスピードが出ていた」と反論します。

こうして反論に対する反論が続きます。「電話していたけれど、イヤホンを使っていたから問題ない」とか、「停止線が消えかかっていて見えなかった」とか、「スピードは出ていたが、俺のクルマはブレーキの性能がいい」とか（反論にならない反論）、「こっちのカーナビは高性能だ」とか（これも反論にならない反論）、反論の応酬となります。

主張すべきことを「Ａである、Ｂである、Ｃである、Ｄである」とお互いに相手の落ち度を探して主張し、それに対して相手も「Ａ′である、Ｂ′である、Ｃ′である、Ｄ′である」と反論してきます。

さらにＡ′にはＡ″という反論があり、その反論にＡ″、Ａ‴という反論が返ってきます。つまり、反論の反論にまた反論して、反論の応酬合戦になるわけです。

しかし、中国人はこうしたやり取りの中で、実は自分の主張と相手の主張をしっかり「査定」しています。お互いの主張内容を比較して，自分にとって分が悪い主張は取り下げ、勝ち目のあるポイントを選び出して議論のポイントを絞り、次の突破口を切り開きます。つまり、中国人同士の議論はひと通り言いたいことを出し合ったあとで、論点の「消去法」で話し合いが進むのです。

まずは徹底的に主張すべきことを主張する。どうやら日本人はこの点が苦手なようです。言いたいことを出し合わないと、消去するポイントを見つけ出すことができません。

相手の気持ちを察すること、こちらの言いたいことも直接言わずに、できれば相手に気づいてもらうこと（悟らせる）、これが日本的なコミュニケーション方法です。しかし、これは中国人とのコミュニケーションでは通用しません。中国は「主張することが評価される文化」です。まずは言うべきことははっきりと伝え、次に「消去法」で論点を見つけ出していくのが「中国流」と言えるでしょう。

## 「できるだけ早くね」と頼んだコピーはいつできる？
### ～「基準の共有」と「指示の仕方」がポイント～

田中さん（仮名）は李さん（仮名）に書類のコピーを頼みます。李さんは優秀なアシスタントです。

「李さん、コピーを頼みたいんだけど。時間があったら、この書類をコピーしておいてください」と言って彼に元原稿を渡します。

「重要な書類だから、できるだけきれいに頼むね。なるべく早くね」と付け加えます。

「はい、わかりました」と言って李さんは田中さんからコピーの元原稿を受け取りました。

さて、みなさんなら5分か10分も待てば、彼がコピーを持ってくると思うのではないでしょうか。1時間ぐらいなら待てるという人もいるかもしれません。

しかし、夕方になっても李さんに頼んだコピーは届きません。

「李さん、コピーはまだできていない？ ちょっと急ぐんだ」と仕方なく鈴木さんは李さんに催促の言葉をかけます。しかし、李さんは「はい、わかりました」と言いながらも相変わらず忙しそうに自分の仕事をしています。

「李さん、忙しいのはわかるけど、こっちも急いでいるんだ。『早くね』って言ったじゃないか?」と田中さんはちょっと厳しい口調になりました。

「だって、田中さんは『時間があったらやっておいて』って言ったじゃないですか。私は今、時間がありませんから……」というのが李さんの言い分です。

田中さんにとってこの李さんのコメントは「言い訳」に聞こえたでしょう。「屁理屈」と感じたかもしれません。田中さんは確かに「時間があったら……」「なるべく早くね」という言い方をしましたが、常識的に考えて夕方まで待たされるとは思っていません。

つまり、2人の間には「早くね」という時間の感覚にズレがあるのです。田中さんが期待していたのは「5分ぐらい」「10分以内」「待たされても1時間くらいまで」だったでしょう。「時間」のモノサシが共有できていなかったことが問題です。

ここで取り上げたいポイントは「基準の共有」と「指示の仕方」の2つです。田中さんは「早くね」と言っています。「時間があったら……」とも言っています。この「早く」という言い方が曖昧なのです。

田中さんはもっと具体的に「10分以内に仕上げて」「5分以内に持ってきて」「夕方までにで

きる？」と時間を区切って指示をし、コミュニケーションをとるべきでした。夕方まで待てるのか、明日の朝になっても構わないのか、いつまでにやって欲しいのか、具体的な時間の指示がありません。

「時間があったら」という田中さんの言葉に対して、李さんはまず自分の仕事を優先させています。彼の「時間がありませんから」というのは「屁理屈」ではなく、ある意味では正論かもしれません。

ここで、もし相手が日本人なら、依頼する側が置かれている状況や雰囲気を察して判断します。しかし、これは日本人同士だからできることです。中国人にそれを期待することは無理です。あくまでも時間で区切った具体的な指示を出すべきでしょう。

これは両者に「早く」という時間のモノサシができていなかったことが問題です。「早く」をそれぞれ自分の基準で考え、「基準の共有」ができていない点がコミュニケーションギャップにつながったわけです。さらに、「指示の仕方」も問題です。田中さんは「5分以内にできる？」「それじゃ、30分以内なら大丈夫？」と明確な基準を示して指示をするべきでしょう。

実はこの問題を解決する方法は簡単です。基準をはっきり示し、明確な指示を与えればいいのです。「30分以内」が難しいなら、「退勤時間まで」「明日の朝まで」と具体的な時間を示して、確認をするべきでした。

「30分以内ならできます」と李さん。「わかった。それじゃ、30分以内にお願いね」と確認する田中さん。こうしたやりとりができていれば、コミュニケーションギャップは起こらなかったはずです。

さらに、「きれいにね」の基準も曖昧です。田中さんが期待する「きれい」を具体的に李さんに伝えるべきです。「早く」と同じように、「きれい」の基準が示されていません。田中さんにとって「きれい」とはどんな結果を期待しているのか、これもはっきり伝えるべきです。「斜めにならないように」（当たり前のことですが、はっきりと指示）「文字の濃淡に気をつけて」「小さな文字があったら見やすく拡大して」「写真があったら少し明るめに」「綴じ代のスペースを取って」「元原稿を用紙サイズの大きさに拡大してコピーして」「元原稿2枚を1枚のページにまとめて」、枚数が多ければ「左肩の端をホッチキス止めして」など。

具体的な指示を与えると、期待通りの結果を出してくれるのが中国人です。日本には「以心伝心」という言葉があります。しかし、中国人とのコミュニケーションではこの「以心伝心」は通じないと思ったほうがよいでしょう。

逆に、明確な指示をすれば、その通りの結果を出してくれるのが中国人です。言葉での説明はちょっと労力が必要なことですが、日本側から「基準の共有」と「指示の仕方」に注意をして指示を与えれば、中国人とのコミュニケーションギャップは格段に減るはずです。

## 日本人は『機動戦士ガンダム』の「ニュータイプ」？
### ～中国人には「以心伝心」は通用しない～

中国の友人が突然こんなことを言い出しました。「日本人って、ガンダムのニュータイプみたいですね」という発言。彼は日本アニメの大ファンで、ガンダム大好き人間です。あまりにも唐突な質問だったので面食らいましたが、お酒の席だったのでその話題でかなり盛り上がりました。なかなか的を射た奥の深い洞察力です。ガンダムファンの方なら、発言の意味がすぐにおわかりいただけるはずです。

日本語には「以心伝心」という言葉があります。「心を以って心を伝える」という意味ですが、要するに「相手の言葉や態度、ちょっとした一言や仕草からその背景にあるものや相手の真意を読み取り、相手の気持ちや考えを察する」ということです。日本人同士であれば、たいていは相手の話し方や雰囲気から相手が何を言いたいのかが理解できます。

『機動戦士ガンダム』には「ニュータイプ」という勘が鋭い、敏感に物事を察する能力を持つ進化した人類が登場します。言葉にしなくても相手の考えていることが理解できるのです。

中国の友人が言いたかったことは、「日本人はみんなこのニュータイプが持っている能力を身につけているようだ」ということです。「テレパシーが使える新しいタイプの人類」という意味です。

主張することでコミュニケーションを図る中国人にとって、主張しなくてもコミュニケーションができる日本人はなかなか理解することができません。「以心伝心」のコミュニケーションスタイルは彼らの間では通用しないのです。こうした点を相互に理解しておかないと、ボタンの掛け違いを生むことになります。

「言わなくてもわかっているはず」というほんのちょっとしたボタンの掛け違いが、気がつくと大きなギャップになっていることがあります。しかし、「言うべきことは言わないとわからない」のです。「わかっているはず」「知っているはず」という思い込みや先入観をなくし、さらに「言ったつもり」「話したはず」ということがなかったかどうか、もう一度振り返ってみたいと思います。

コミュニケーションギャップは些細なボタンの掛け違いから起こるものです。この些細なボタンの掛け違いが、気がつくと取り返しがつかないくらい大きなギャップになっていることがあります。日本人は「わかってくれているはずだ」「理解してくれるだろう」という期待と思い込みの気持ちが多いようです。このギャップが知らず知らずに広がっていってしまうことに気づかないことがよくあります。

最初はほんの小さなコミュニケーションギャップだったことが、後で大爆発をすることもあります。ボタンを掛け違えたままそれに気がつくまで、時限装置がカチカチと爆発のときを待っているのです。中国人と正面から向きあって彼らの考え方を知り、伝えるべきことをしっかり伝えることが重要です。「以心伝心」は通用しません。

# 優秀な人材が集まらない中国の日本現地法人

## ～「二級人才」には魅力的でない環境に問題あり～

「日本企業には優秀な人材が集まらない」という中国に現地法人を持つ日本企業の人事担当者の話をよく聞きます。優秀な人材を集めることは、どの会社でも苦労しているようです。日本語では「人材」という漢字を使いますが、中国語では「材」ではなく「才」の字を当てて「人《レン》才《ツァイ》」と書きます。人を「部材」として見るのではなく、「個人が持つ才能」を重視する中国らしい表現と言えるでしょう。

あるセミナーで「一級人才」「二級人才」という言い方で中国人を分類し、「中国人の中にも個性や一人ひとりの能力差によっていろいろなタイプの人間がいる」という話がありました。しかし、日本の現地法人には「一級人才」（一流の優秀な人材）がなかなか集まらない傾向にあるといいます。日系現地法人の経営陣は日本から派遣されている駐在員で占められることが多く、現地採用の中国人スタッフにとっては入社してもなかなか出世できないという制約を受けるからです。

「何年働いてもマネジャーになれません」とか、「部長以上のポストは完全に閉ざされています。課長にすらなれないかもしれません」という日本企業の評判を聞くと、入社を希望する中国人のモチベーションは自然と下がります。転職を繰り返しながらスキルアップを考える中国人にとって、日本企業は魅力的な環境とは言えないようです。

また、企業側は社員の会社に対する「忠誠心」を期待し、会社のため、組織のため、チームのため、組織の一員として献身的に働いてくれることを望みます。個人の能力を発揮して仕事をすることよりも、組織力、チーム力、同僚や部下とのコミュニケーションを重視しながら仕事を進めることが要求されます。

しかし、中国で言う「一級人才」とは、ある意味では組織という枠に捉われず、自分の能力を十分に発揮して、自分の目標を自由に追い求めることができる人ではないでしょうか。１つの企業に捉われずに積極的に転職をしたり、自分の夢に向かって起業したりするなど、行動力と決断力を兼ね備えているのが「一級人才」です。

日系の現地法人ではこうした能力のある一流の人材がなかなか集まらないのではなく、面接試験でこうした「一級人才」を採用しないで落としてしまうようです。人材が「集まらない」のではなく、「集めようとしない」のです。

組織という枠の中で活躍してもらうためには、「一級人才」より「二級人才」のほうが好都合なのかもしれません。なぜなら「忠誠心」や「協調性」「チームワーク」を重視して、組織の一員として活躍してくれることを期待するなら、優秀な「一級人才」よりも扱いやすい「二級人才」のほうが日本企業に向いているからです。

セミナーは、「二流の人材を面接で落として、二流の人材ばかりを採用する、三流の日本人の人事担当者に問題があります」というコメントを追加して締め括られました。実は、いろいろな企業をヒアリングしてみると、残念ながら筆者自身も思い当たる事例が数多くありました。

しかし、現実には担当者だけの問題ではなさそうです。現地に赴任すると、自分の専門以外の業務も担当していかなければならないという現実があります。品質管理の専門家、マーケティングの専門家が自分の担当する業務だけでなく、人事や労務、時には資金繰りから債権回収、さらに経営全般に至るまですべての業務を見ていかなければならないケースもあります。果たして日本側は中国でこうしたすべての業務がこなせるスーパースターを中国駐在に送り出すことができるのでしょうか。

講演の後、中国の友人がセミナーの講師の言葉を受けて、「中国に三流の人材を送り込んでくる日本側の中国戦略は四流レベルですね」と辛口のコメントで日本企業を皮肉りました。日本企業でも仕事をした経験のある彼の口から出た実体験に基づく「本音」とも言える言葉です。

しかし、彼の意見に対して日本企業擁護のコメントを述べると、私は中国への赴任者は決して「三流」だとは思っていません。日本から送られてくるスタッフはそれぞれが高い専門知識とスキルを持ったスペシャリストです。一人ひとりが明確な目的を持って中国に赴任してきます。彼が日本企業の中国戦略を「四流」というのは言い過ぎでしょう。送り出す側にも会社によってそれぞれ違う事情があるはずです。

しかしながら、中国ビジネスに携わる人材を育成する取り組みに関しては、決して十分とは言えないことも事実です。「中国人ビジネスマン理解」「中国人の価値観や考え方の理解」「中国人のビジネスの進め方や商習慣の理解」など、赴任になる前に理解しておくべきことがまだまだたくさんあるはずです。出張者や赴任者だけではなく、送り出す側にも中国ビジネスに関する理解をもっと深めていただきたいと考えています。

筆者は会社全体で取り組む企業としての「中国力」のスキルアップ、組織として取り組むべき経験の蓄積、中国ビジネスにおけるトラブル事例を企業ごとに取りまとめてデータベース化することを提唱しています。駐在経験者の貴重な経験が会社の中に眠っていないでしょうか。出張者が現地で行うビジネス交渉にはたくさんの成功談や失敗経験があるはずです。こうした個人レベルで蓄積されている経験やノウハウを掘り起こし、企業としての「中国力」に変えていく取り組みが必要であると思います。

# 中国人からのクレームに対応する3つのポイント
## ～「みんなと違う」「あなただけ特別」「おまけ付き」～

観光で日本にやってくる中国人が増えています。今後もこの勢いは衰えることなく続き、中国人の家族連れが日本を旅行で訪れ、デパートやショッピングセンターで買い物をする姿が当たり前になっていくでしょう。こうした中国人観光客を相手にしたビジネスチャンスもますます多くなっていくはずです。

しかし、中国人は日本人とは違う価値観や考え方を持っています。なかなか理解できない彼らの行動からちょっとしたトラブルが生じることもあるでしょう。「大きな声で会話する」「列に並ばない」「時間を守らない」「必要以上に値引きを迫る」など、中国人観光客を相手にビジネスをするみなさんの中には、日本人との違い、コミュニケーションギャップに悩まされている方も多いのではないでしょうか。

日本人は買い物をするときも、行列のできるレストランに並ぶときも、他人に迷惑をかけないことが基本です。売る側も誰か1人を特別扱いしない、決められた規則の範囲で平等に接することが暗黙のルールとなっています。

しかし、中国人は行動様式の基準が「みんな」ではなく、「自分自身」にあります。自分とその周辺との人間関係は「一対一」、つまり「個人対個人」が基本なのです。みんなと同じように分け隔てない平等は望んでいません。

こうした中国人の特性を逆手にとって、中国人観光客を喜ばせる効果的な方法があります。それは「特別扱い」です。日本ではみんなと違う「特別扱い」は平等のルールに反することですから、よいことではありません。しかし、逆に中国人はみんなと同じことはよいとは思っていないのです。ちょっとした工夫でこうした感覚を逆手にとって満足感を与えることができます。キーワードは「みんなと違う」「あなただけ特別」「おまけ付き」の3つです。

たとえば、中国人観光客がお土産を買いに来るシーンを考えて見ましょう。張さん（仮名）は日本製のデジカメを探しています。気に入ったデジカメが見つかって、お店の店員であるあなたと値引き交渉を始めました。このようなケースであなたが張さんを満足させるポイントは「みんなと違う」「あなただけ特別」「おまけ付き」の3つです。

まず、この製品の店頭価格がいくらなのかを説明します。これは「みんなと同じ」であるスタンダードの値段をまず知らせるためです。そして次に「みんなと違う」ポイント、すなわち、あなただけに提示する店頭価格より安いディスカウント可能な値段を提示します。「あなただけ特別」のポイントが強調できればより効果的です。特別ポイントは多ければ多いほど効果的です。ダメ押しは「おまけ付き」です。販促品のストラップやキーホルダーでもいいでしょう。この「おまけ付き」というサービスが最後の決め手となります。

また、この3つのポイントはクレーム処理にも効果的です。たとえば、「乗り継ぎの待ち時間が長い」「ホテルの部屋が狭い」「料理が口に合わない」「渋滞によるスケジュールの遅延」など具体的に中国人観光客が不満に思うであろうポイントがあります。このポイントを先回りして、その対応策を予め準備しておくのです。ここでもポイントは、「みんなと違う」「あなただけ特別扱い」「おまけ付き」の3つです。

たとえば、「ホテルの窓からの見晴らしが悪い」というクレームを言ってくる中国人がいます。この場合、まずは一般的なルールを説明します。時間をかけずにさらっと触れることがポイントです。これはみんなと同じ対応の部分を知ってもらうためです。

次に、「みんなと違う」方法で対応することを説明します。「あなただけ特別扱い」のポイントをじっくり説明します。可能であれば、見晴らしのいい部屋に換えてあげます。クレームを予測して対策用の部屋を準備しておくという手もあります。別のサービスを提供する、料理のグレードを上げる、割引券や次の機会に利用可能なクーポンを提供する、といった対応策を予め準備しておくのも一策です。

さらに、「ご迷惑をおかけしたお詫び」という理由でお土産コーナーで売っている「お菓子」をプレゼントしたりすると、ダメ押しの「おまけ付き」ポイントになります。中国人には「なんてサービスがいいホテルなんだろう」という印象を与えられるだけでなく、その中国人は帰国した後、間違いなくその対応のよさ、サービスのよさを口コミで友人に話します。

もし、誰からも部屋を換えて欲しいというクレームがなかったら、一番条件の悪い部屋に泊まっている人に「よろしければよいお部屋にチェンジします」と言って、こちらから部屋を換えてあげることも一策でしょう。「特別扱い」されることが大好きな中国人です。これも口コミ情報でホテルの評判アップにつながるはずです。

もちろん、基本はもちろんクレームが出ないサービスを心がけることです。小手先だけの対策を考えるより、心のこもったサービスを提供する姿勢を忘れてしまってはいけません。ルールや規則より、人と人とのつながりを大切にするのが中国人です。真摯な態度で心を込めて接することが基本です。

## 「贈り物」として贈ってはいけない品物

### 〜知らずに贈ると「絶交宣言」になるので、要注意〜

ここで簡単なクイズをやってみましょう。みなさんも一緒に考えてみてください。次の①から⑤までの選択肢の中で、中国人への「贈り物」にするには相応しくないものがあります。さて、それはどれでしょうか？　答えは1つとは限りません。知らずに贈ると大変なことになりますから、注意が必要です。

〔問題〕

中国出張のとき、取引先の担当者にお土産を買って行こうと思います。相手は仕事で日頃からお世話になっている中国人です。鈴木さん（仮名）は空港の免税店でお土産を選ぶことにしました。しかし、次の①から⑤の品物の中で、「贈り物」には相応しくない品物があります。贈り物としてはたいへん失礼な品物もあります。さて、「贈り物」として相応しくないものに

×、贈ってもよいものに○をつけてみてください。

①日本的な図柄が美しい伝統工芸の扇子
②傘職人が作った丈夫で軽い日本ブランドの傘
③会社設立30周年記念に作ったペンスタンド型置時計
④和菓子やおせんべいなどの詰め合わせ
⑤キャラクターデザインの目覚まし時計

さて、いかがでしょうか。記入が終わったら答えを確認してください。答えは50ページの最後の行にあります。まず、答えを確認してから、解説を読み進めてください。

まず、最も注意しなければならない品物は③と⑤です。ポイントは「時計」です。掛け時計、置時計、目覚まし時計など、中国でこのような「時計」を送るのは厳禁です。「時計」は中国語で「鐘《ジョン》」（zhong）と発音します。掛け時計は「掛鐘《クワジョン》」（gua zhong）、置時計は「座鐘《ズオジョン》」（zuo zhong）、目覚まし時計は「鬧鐘《ナオジョン》」（nao zhong）と言います。

「時計」の「鐘」（zhong）という文字の発音は、「終《ジョン》」（zhong）という文字の発音と同じです。すなわち「時計」を贈るということは、「終了」「おしまい」を連想させます。つまり、

「私たちの関係をこれで終わりにしましょう」という意味になります。大げさに言うと「絶縁状」を叩きつける行為、「絶交宣言」なのです。

また、「時計を贈る」という意味の「送鐘《ソンジョン》」(song zhong)という言葉は、まったく同じ発音に「送終《ソンジョン》」(song zhong)という言葉があり、これは「死者を見送る」「死者を弔う」という意味になります。

たとえば、みなさんの家族や友人の結婚式に黒いネクタイをして来た人がいたら、どう思うでしょうか? 「縁起でもない」「なんて失礼な人なんだ」と思うでしょう。中国人に「時計」を贈るということは、これと同じような感覚です。不吉なことを連想させる常識はずれの行為なのです。

選択肢には「会社設立30周年記念」の置時計とか、「キャラクターデザイン」の目覚まし時計とありますが、これらはあまり重要な要素ではありません。会社のノベルティグッズでも、キャラクターデザインであっても、「時計」は贈ってはいけない品物です。

もっとも、同じ時計でも「腕時計」なら問題ありません。「腕時計」は中国語では「手表《ショウビャオ》」(shou biao)と言いますが、「鐘」(zhong)という言葉は入っていないのでプレゼントしても大丈夫です。置時計や目覚まし時計は発音から連想される言葉から、「贈り物」として相応しくない品物なのです。

同じような理由から、①の「傘」や②の「扇子」も避けたほうがいい品物です。中国語の発音では「雨傘《ユイサン》」(yu san)、「扇子《シャンズ》」(shan zi)と言います。これらの言葉は、中国語の「分散《フェンサン》」(fen san)、「離散《リーサン》」(li san)という言葉を連想させます。これは「散らばる」「ばらばらになる」「別れ別れになる」という意味です。「関係が壊れる」「縁が遠のく」というマイナスイメージを連想させる言葉です。

選択肢には日本的な図柄、伝統工芸、職人が作った、日本ブランドといった説明がありますが、これらも特に意味がありません。「傘」と「扇子」という品物は送ってはいけないものなのです。

研修でこの話をしたとき、ある企業の方から「あと2週間早く知っていれば……」というコメントがありました。聞くと、前回の中国出張で中国の取引先に「置時計」をプレゼントしてしまったそうです。彼は「そう言えば贈り物を渡したとき、先方はあまりうれしそうな表情ではなかった」とそのときの様子を振り返って話してくれました。

もし、このことを事前に知ってさえいれば、絶対に起こさないで済むミスでした。中国では考え方や習慣の違いを「知らなかった」というだけで犯してしまうコミュニケーションギャップがけっこうあります。逆に、これは知ってさえいれば、避けることができたことです。

常識を疑い、「違い」を見つけ出す目を持ち、こうしたポイントを1つひとつ発見していくことも中国ビジネスでは大切なことです。「気づくこと」がいかに大切であるかを知ることが異文化理解を深めていく基本であると言えるでしょう。

【解答】①×　②×　③×　④×　⑤×

## なぜ「おせんべいの詰め合わせ」を贈ってはいけない？
### ～「贈り物」は個人が個人に対してプレゼントするもの～

それでは④の「和菓子」や「おせんべい」の詰め合わせはなぜいけないのでしょうか？　みなさんも「人形焼」や「カステラ」「おせんべい」「チョコレート」の詰め合わせをお土産に買って行ったという経験が必ずあるはずです。空港で買い求めてお土産にすることができる最も手軽な品物です。なぜ相応しくないか、ここではこの点について考えてみましょう。

結論を言うと、これらは品物が悪いのではなく、渡すときにどんな言葉を添えるかが問題なのです。あなたは中国に着いて、空港に出迎えに来てくれた陳さん（仮名）にお土産を渡します。空港で買った「おせんべい」の詰め合わせです。

日本人なら、「つまらないものですが、みなさんで召し上がってください」と言って手渡すのが一般的です。日本人同士なら普通によく使う挨拶の言葉です。しかし、実はこれは陳さんに対して、大変失礼な言葉なのです。

中国で「贈り物」とは基本的に個人が個人にプレゼントするもので、一対一が基本です。少なくとも中国人はそういう考え方をします。つまり、贈る相手は「陳さん」であって、「みなさん」ではないのです。「みなさんで召し上がってください」というのは大変失礼な言い方なのです。

「陳さん、おせんべいの詰め合わせですが、どうぞ召し上がってください」と言って手渡すのは問題ありません。陳さんは「ありがとうございます。では、みんなでいただきます」と言って受け取り、みんなに配るかどうかを決めるのは陳さんです。最初から「みなさんで……」というのは陳さんに対して失礼になります。

もし、本当に「みなさんで召し上がってください」という品物を贈る場合は、陳さん用に1つとみなさん用にもう1つと、合わせて2つ準備しておいたほうがいいでしょう。繰り返しますが、中国では基本的に「贈り物」は個人が個人にプレゼントするものなのです。

筆者は中国の地方人民政府が東京で開催する企業誘致説明会をサポートすることがあります。地方政府の代表が日本にやってきて、ホテルで企業誘致のために投資説明会を開催します。私たちの仕事は日本側の運営スタッフとして説明会や商談会などのイベントの運営です。

このようなとき、彼らが持ってくるお土産のお菓子やお茶の類は必ず1人に1つずつです。「みなさんで召し上がってください」というお土産を筆者は一度も受け取ったことがありません。中国人にとって「お土産は個人対個人で渡すものである」という考え方は実に徹底しています。

注意点がもう1つあります。それは「つまらないものですが……」という言葉です。日本人なら誰でも理解できることですが、謙遜の気持ちを表現した言葉です。日本人特有の謙虚さや謙譲の美徳がその背景にあります。

しかし、中国人に対しては必要以上にへりくだった表現は不要です。「つまらないもの」ではなく、むしろ「陳さんのために一番いいものを買ってきました」と言って手渡すほうが正解です。「つまらないもの」はいらないのです。この点も中国と日本との文化の違いです。

中国人に「贈り物」をするときには、「あなたのために一番いいものを選んできました」「一生懸命選んでわざわざ買って来ました」「これは免税店で一番おいしいお菓子の詰め合わせです」というぐらいの表現が妥当です。

今度中国人にお土産を渡す機会があったら、ぜひ実践してみてください。渡し方をちょっと工夫するだけで受け取る側は今まで以上にあなたのお土産に感激するはずです。

## 「贈り物」で人間関係の深度測定をすることができる
### ～「つまらないもの」なら贈らない方がいい？～

大切な人に「贈り物」をするときには、それ相応の品物を選びたいものです。日本人は「贈り物」を渡すときに「つまらないものですが……」という言い方をしますが、それが本当に安っぽくてつまらないものなら、むしろ贈らないほうがいいかもしれません。

中国人は「面子」を大変重視します。受け取った品物を見て、「私たちの関係はこの程度のものですか？」と思っているかもしれません。「つまらないものなら、いらない」と口にはしないものの、相手は本当にそう思っているかもしれないのです。

また、「気持ちだけ」と言って、儀礼的なプレゼントを渡すケースもありますが、形だけの儀礼的な品物を贈ることも逆効果です。日本人は知らず知らずのうちに、中国人のこうした「面子」を傷つけていることがあります。

たとえば、日本にはバレンタインデーに「義理チョコ」を贈る習慣があります。これは日本では社内の同僚や上司に対してささやかな感謝の気持ちを伝えるよい手段の1つかもしれません。たとえそれが「義理チョコ」であっても、同僚や部下からチョコをもらうと嬉しいものです。こうした習慣は極めて日本的で独特な文化なのではないでしょうか。

また、ハワイやグアムに旅行した同僚から「気持ちだけで申し訳ないですが……」と言ってお土産にチョコレートやボールペンをもらうことがあります。日本人同士なら「気持ちだけ」と言いながらも、こうした気配りは嬉しいものです。しかし、もしこれを中国人が受け取ったら、「私たちの関係はこのボールペン1本と同じですか?」と思うでしょう。「なんてケチな人だろう」と思わせるだけかもしれません。

日本では「引っ越し祝い」の挨拶にタオルを配ったり、病気が全快した後でお見舞いをいただいた人に「快気祝い」のお礼をしたり、「お中元」や「お歳暮」、「ご年始」の挨拶など、日常生活の中でたくさんの「気配り」があり、品物を贈ったり、贈られたりする習慣があります。

これらは日本独特な「贈り物」の文化と言えるでしょう。こうした「贈り物」は人間関係の潤滑油的な役割を果たしています。中国人にこうした「贈り物」をするときには、一言だけでも日本独特の文化や風習を説明したいところです。

しかし、中国人とのビジネスで取引先との関係作りにおける「贈り物」は、こうした儀礼的な品物ではなく、大切な相手にはそれ相応の品物を贈ることが必要です。「贈り物」は両者の関係を象徴するものであり、相手の立場やポジションに相応しい品物を準備する必要があります。相手の「面子」への配慮が必要なのです。

「つまらないもの」を中国人に贈ることは、「私たちの関係はこの程度のもの」と宣言しているようなものです。ボールペンやキーホルダーや安っぽい文具セット、安いお酒や小さな箱のチョコレートの詰め合わせなど、「つまらないもの」と感じられてしまいそうな品物なら、むしろ贈らないほうがいいかもしれません。

また、中国人に対して「つまらないものですが……」という謙遜は不要です。謙虚さを伝えるのではなく、「贈り物」を渡すときは「これはあなたのために選んだすばらしいものです」と言って渡すべきです。

「贈り物」は自分と相手の人間関係を象徴するものです。人間関係のバロメーターと言うこともできます。中国人に「贈り物」をするときの品物選びには、くれぐれも注意が必要です。

「贈り物」を贈る場合も贈られる場合も、その品物で人間関係の「深度」が測定できます。大切な相手には金額をあまり気にせずに、思い切っていい「贈り物」を準備したいものです。

## 「贈り物」の選び方と渡し方、心のこもったコメント
### ～工夫ひとつで相手との信頼関係構築に活用できる～

中国人はブランド好きです。どんな品物でもブランドにこだわるようです。「贈り物」を選ぶとき、相手に喜んでもらうためにはちょっとだけブランドを意識した品物選びを考えておいたほうがいいかもしれません。同じ品物の場合でも、たとえば化粧品なら「資生堂」、カステラなら「文明堂」など、誰でも知っている有名ブランドの品物を贈ったほうが喜ばれます。

成田空港の免税店では、デジタルカメラやデジタル音楽プレーヤーなどが中国人旅行者に人気のある商品です。日本製の「ソニー」や「パナソニック」など有名ブランドを意識した買い物をしていきます。まったく同じ機能や性能を持ったデジカメでも、韓国製や台湾製は購入の選択肢には入らないようです。実は韓国製も台湾製の中にもリーズナブルな価格で品質のいい製品がたくさんあるのですが、目当てはやはり日本製です。

しかも、同じ日本製でも「値段の高いハイクオリティモデルのほうが人気が高い」「同じ

メーカーの製品でも高級品から売り切れになる」という話をよく聞きます。免税店では値段の安いものより高いもののほうがよく売れるそうです。

「値段が高くても買うときは有名ブランド品を選ぶ」「買うならみんなに自慢できるいいものを選ぶ」と考えるのが中国人です。安くていい物を選ぶというよりも、高くてもいいものを買っていきます。高い安いが問題ではないのです。「値段が高い物」や「高級品」を買うことは彼らの「購買意欲」を満足させ、「ブランド品」を所有することが彼らの「面子」を刺激するのかもしれません。

免税店で中国人へのお土産を選ぶときには、ぜひ「ブランド」を意識した品物選びをしてみてください。お酒やタバコ、文具などの雑貨やお菓子の詰め合わせなど、無名ブランドよりもみんなが知っているブランドを選ぶことがポイントです。できれば、1ランク上の「高級品」を選びたいところです。同じ品物でもパッケージや包装なども見た目がいいもののほうがいいでしょう。

もう1つ、ぜひ参考にしていただきたいことがあります。それはお土産の「渡し方」です。どうやら日本人は、この「渡し方」にひと工夫足りない人が多いようです。

前に「つまらないものですが……」という言い方ではなく、「あなたにとって最もいいものを選んできました」と言って渡すべきということを述べました。仮に、それが本当に「つまらないもの」であっても（「つまらないもの」はそもそも贈り物にするべきではありませんが）、「すばらしいモノを差し上げます」と言って渡すべきなのです。

さらに、「贈り物」を渡すときに「どうしてこの品物を選び、なぜあなたにプレゼントしたいか」というコメントを一言付け加えると効果的です。

たとえば、「おせんべい」の詰め合わせを陳さん（仮名）に渡すとき、「陳さんに日本の伝統的なおせんべいの味をぜひ知っていただきたくて、わざわざ浅草まで行って、手作りのおせんべいを買ってきました」とか、「このおせんべいは季節限定の商品でわざわざインターネットで取り寄せて、陳さんに食べてもらおうと思って持って来ました」とか、ほんの一言でもコメントを加えて、こちらの気持ちを伝えることがポイントです。「つまらないものですが、どうぞ召し上がってください」だけでは、本当につまらないのです。

中国人は「扇子」をプレゼントしないということを述べました。しかし、中国のある地方政府を訪問したときに、伝統工芸の「扇子」をプレゼントされたことがあります。受け取ったときはちょっとびっくりしましたが、この「扇子」をいただいたときにその地方政府の副市長からこんなコメントがありました。

「この地域では伝統工芸として『扇子』が有名です。『扇の要』という言葉があります。私たちは中国と日本の『扇の要』となって、日中友好のために力を尽くしていきましょう」というコメントでした。

さらにこの「扇子」には副市長の自作の漢詩が達筆な毛筆で書かれていました。副市長は日本側1人ひとりと握手して、この「扇子」を手渡しします。心憎いコメントと演出です。

つまり、贈り物として「扇子」が絶対的によくないのではなく、贈るときのコメントやプレゼントの仕方にほんのちょっと工夫があれば、心に残るすばらしい「贈り物」にもなります。この「扇子」はまさに心のこもった「贈り物」でした。

「贈り物」は自分と相手の人間関係のバロメーターとなります。大切な相手にはそれに見合った品物、それ相応の品物を贈るべきでしょう。中国人には「ブランド品」や「高級品」が特に喜ばれます。あまり安っぽいものを贈ることは避けるべきです。相手の「面子」も考慮した品物選びを心がけなければなりません。「2人の人間関係はこの程度のものか」と思われてしまうからです。

しかし、本当に重要なのは、心がこもっているかどうかという点です。選び方や渡し方、コメントの言葉選びをちょっと工夫するだけでも、相手に気持ちを伝えることができます。「贈り物」を儀礼的に渡すのではなく、相手との信頼関係を作り上げていく「友好の証」として、上手に活用していきたいものです。

# 第2章

## 中国人の価値観とコミュニティ感覚

## 中国人の独特な「タマゴ型コミュニティ」とは
### ～強い絆で結ばれた仲間、人を絶対に裏切らない信頼関係～

中国人は家族を中心とした独特なコミュニティ感覚を持っています。筆者はこれを「タマゴ型コミュニティ」と名づけました。タマゴの殻の部分が「シェルター」となり、自分や家族や仲間を守る城の城壁のような役割を果たしているのです。

図1を見てください。タマゴの中心である核になっている部分が「自己《ズージー》」です。「自己」は自分自身という意味です。タマゴの中心、つまり胚に当たる部分です。胚を取り囲んでいる黄卵（黄身）の部分が「自家人《ズージアレン》」、つまり「家族」です。家族は自分が所属する基本単位であり、自分を守ってくれる最も身近な砦と言えるでしょう。

日本人に「あなたは何人家族ですか？」という質問をすると、「4人家族です」とか、「両親と同居しています。子供が2人いるので全部で6人家族です」とか、「家内と2人です」という答えが返ってきます。しかし、「自家人」とは単に同居している何人家族というだけでなく、

**図１　タマゴ型コミュニティ**

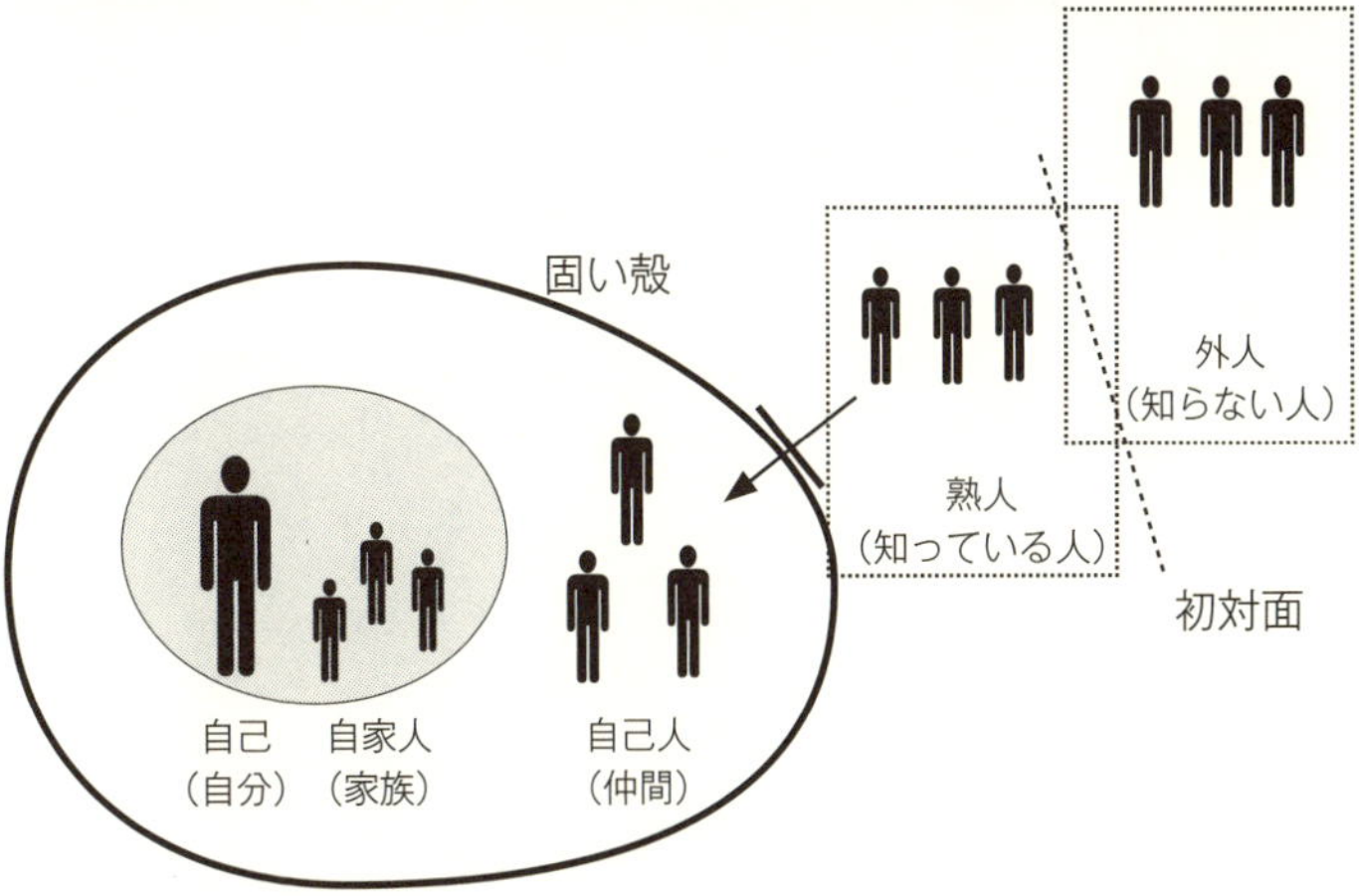


両親やその兄弟、親戚を含んだ「一族」と考えたほうがいいでしょう。日本人がイメージする家族より、もっと大きな広がりのコミュニティ単位です。

その周りを「自己人《ズージーレン》」という仲間が取り囲んでいます。タマゴの卵白（白身）の部分です。このようにタマゴの殻の内側に強い絆で結ばれた仲間が存在します。「自己人」という仲間です。これを日本語にすると、「親友」「いい友達」「仲間」などと言うことができますが、単なる仲間ではなく、もっと深い意味があります。「自己人」とは、固い絆で結ばれた仲間、人を裏切らない仲間、絶対的な信頼関係の上に成り立っている仲間です。この人を絶対に裏切らない信頼関係は、日本人が想像する以上に強い絆で結ばれています。それが「タマゴ型コミュニティ」の殻の内側の仲間です。

中国人は「自分の身は自分で守る」という考え方が基本です。中国では長い歴史の中で戦争や革命や動乱、天災や飢饉などが幾度となく繰り返されてきました。中国人は度重なる王朝の交代や自然災害を経験して、「自分の身は自分で守らなければ、誰も自分や自分の家族を守ってはくれない」という長い歴史の中から培われてきた肌に染み付いた皮膚感覚の自己防衛本能を持っています。皇帝や役人、政治に過度な期待を寄せず、「自分の身は自分で守る」ことが時代を生き抜くための処世術だったわけです。

この自己防衛の城壁となるのが、「自家人」(家族)であり、「自己人」(強い絆で結ばれた仲間)なのです。ここに硬いタマゴの「殻」があります。これは外敵を跳ね返すための「壁」です。強い絆で結ばれた仲間を守るための「シェルター」と言ってもいいでしょう。

私たちが「自己人」の仲間として、このタマゴの「殻」の中に入れてもらうためには、強い信頼関係の構築が必要となります。仲間を裏切らない絆、強い信頼関係ができれば、「タマゴ型コミュニティ」の一員として、この「殻」の中に入れてもらえるのです。

一般的に中国人はとてもフレンドリーで、誰とでもすぐに友だちになります。初対面の相手でも共通の話題を瞬時に見つけ出してすぐに親しくなり、まるで昔から友だち同士だったかのように会話を弾ませます。これは日本人にはなかなか真似のできない中国人が持っている「特技」と言えるかもしれません。

しかし、一見するとフレンドリーな中国人も、この関係はまだタマゴの「殻」の外側です。「殻」を破ってタマゴの中まで入り込むことは、そう簡単なことではありません。ここには大きな「壁」と高い「ハードル」があり、殻の中に入って信頼関係を作り上げるためには、意識的に「壁」を乗り越えていこうとする努力とじっくりと時間をかけたアプローチが必要です。つまり、「自己人」の仲間として認知してもらうためには強い絆と人を裏切らない絶対の信頼関係の構築が必要なのです。

## 仲間を裏切らない「自己人《ズージーレン》」の強い絆
### ～「貸し」と「借り」を重ねて深まる人間関係～

中国人は「自己」（自分）と自分を守ってくれる「自家人」（家族）、さらに強い絆で結ばれた「自己人」（仲間）という独特なコミュニティを持っています。この中で「自己人」の仲間というのは、人を裏切らない絶対の信頼関係で結ばれた仲間です。

たとえば、仲間の誰かが会社を設立しようとするとき、家族や親戚、「自己人」の仲間は「タマゴ型コミュニティ」の中で積極的に彼の独立を支援する体制を作ります。資本金を提供したり、ノウハウを提供したり、ビジネスの立ち上げをサポートしたり、自分のことのように（時には自分のこと以上に）仲間の独立を支援するのが「自己人」の仲間です。誰もすぐに見返りを求めず、長い目で見て彼に「貸し」を作るのです。

また、家族の中に海外に留学したい人がいれば、この留学を支援するために家族や親戚が一致協力して彼の留学資金を工面します。海外に留学する費用は、中国の物価水準を考えると年収の何年分にも匹敵する金額です。家族や親戚が少しずつお金を出し合って、本人を海外に送り出すわけですが、時には家族だけでなく「自己人」の仲間が資金を提供するといったケースもあります。

出してもらう側は「仲間から借金する」という感覚ではなく、出す側も「助け合う仲間として当然の行い」と考えます。こうした事例も「タマゴ型コミュニティ」の中で仲間を支援する典型的な例と言えるでしょう。

中国人は「貸し」と「借り」を重ねることで人間関係を深めていくという考え方を持っています。留学資金の提供を受けた本人は、いつかこの「借り」を返さなければなりません。本人が留学から帰国して事業に成功し、生活に余裕ができるようになると、今度は留学に行く仲間の資金を提供する側になります。

日本人は「借り」ができると、どうしてもその「借り」をなるべく早く返したがります。返してしまわないとなんとなく決まりが悪く、できれば早く「借り」を返して「さっぱりしたい」と思うのではないでしょうか。2人の間に「貸し」も「借り」もないことがよい関係なのです。

しかし、中国人はそうではありません。「貸し」と「借り」はその人の「資産」の一部であり、たとえそれが「借り」であっても、それを「資産」と考えます。相手から「借り」ができても慌ててそれをすぐに返そうとはせず、相手が本当に困ったときにこの「借り」を相手に大きく返します。

逆に「貸し」を作っても、せっかちに返してもらおうとはしないで（見返りを求めない）、いざというときに仲間に助けてもらうために「貸し」を貯金しておきます。困ったときに引き出す「貸し」も1つの財産なのです。

時にはこの「貸し」と「借り」という資産が世代を越えて引き継がれることもあります。「私からあなたへの『貸し』は、いつかあなたの息子さんが私の娘に返してください」というように、「貸し」と「借り」が世代を越えて引き継がれることもあるのです。

中国ビジネスでは、「売掛金の回収が大変だ」とか、「債権回収が最も頭の痛い問題だ」といった話をよく耳にします。「約束を守らない」とか、「契約書を交わしてもまったく役に立たない」といった話もよく聞きます。

しかし、「タマゴ型コミュニティ」の中は、恐らくこうした問題とは無縁の世界です。「不良債権」といったトラブルは起きないでしょう。債権回収どころか、契約書すら交わさずに個人と個人の信用のみでお金の貸し借りをする事例もあると聞いています。

「タマゴ型コミュニティ」の「自己人」とは、日本人の想像を超えた強い絆で結ばれた仲間、人を裏切らない仲間なのです。

## 同心円状に広がる中国人の「花びら型シェルター」
### ～誰もが複数持ち、有機的に結びついているコミュニティ～

「タマゴ型コミュニティ」のタマゴの「殻」は、実は1つではありません。強い絆で結ばれ、硬いタマゴの「殻」で守られているのが「自己人」の仲間です。これが自分を中心として同心円状に複数のタマゴが存在すると考えてください。

自分を中心に「花びら」が広がっているような形です。筆者はこれを「花びら型シェルター」と名づけました。花びらの1枚1枚が「シェルター」となり、その中にさまざまな仲間との結びつきがあるわけです。もちろん、1人ひとりの仲間もそれぞれ自分自身を中心にした同心円状に複数の「花びら」を持っています。こうしたつながりが有機的に結びついているのが、中国人のコミュニティの特徴です。

ここでは中国人が持っている「花びら」は1つではないという点がポイントです。趣味のつながり、仕事のつながり、地域のつながり、職業のつながり、スポーツのつながりなど、1人ひとりが複数の「花びら」を持っているのです。目的や価値感、志や生き方を共有できる仲間たちの「花びら」です。

たとえば、王さん（仮名）を例にして考えてみましょう。彼は弁護士資格を持ち、フリーで事務所を開設している経営コンサルタントです。彼は本業である弁護士の仲間を持っています（図2‐A）。これは仕事上の目標が共有できる固い絆で結ばれた仲間です。強い信頼関係で結ばれている仕事仲間と言えるでしょう。

また、王さんは貿易会社で副総経理をしている友人の劉さん（仮名）に請われて、この会社の顧問業務を行っています（図2‐B）。劉さんは王さんとは学生時代からの付き合いで長い時間をかけて信頼関係を深めてきた親友です。劉さんの会社に雇われているというよりは、劉さんとの人間関係で顧問業務を引き受けたと言ってもいいでしょう。

さらに、王さんは旅行が趣味です。近所の旅行好きの仲間と旅行に出かけることが彼の最大の楽しみです（図2‐C）。最近では年に1回、この旅行仲間と一緒に海外旅行に出かけます。次はどこに行こうか相談したり、旅行の準備や下調べのために事前の勉強会を行ったり、一緒に旅行を楽しむ気心の知れた仲間です。これも大切な「花びら」の1つです。

しかし、王さんにはもう1つの「顔」があります。昼間は弁護士資格を持つ経営コンサルタントとして活躍している王さんですが、実は夜はスリ集団を束ねるボスです（図2‐D）。手

図2　花びら型シェルター

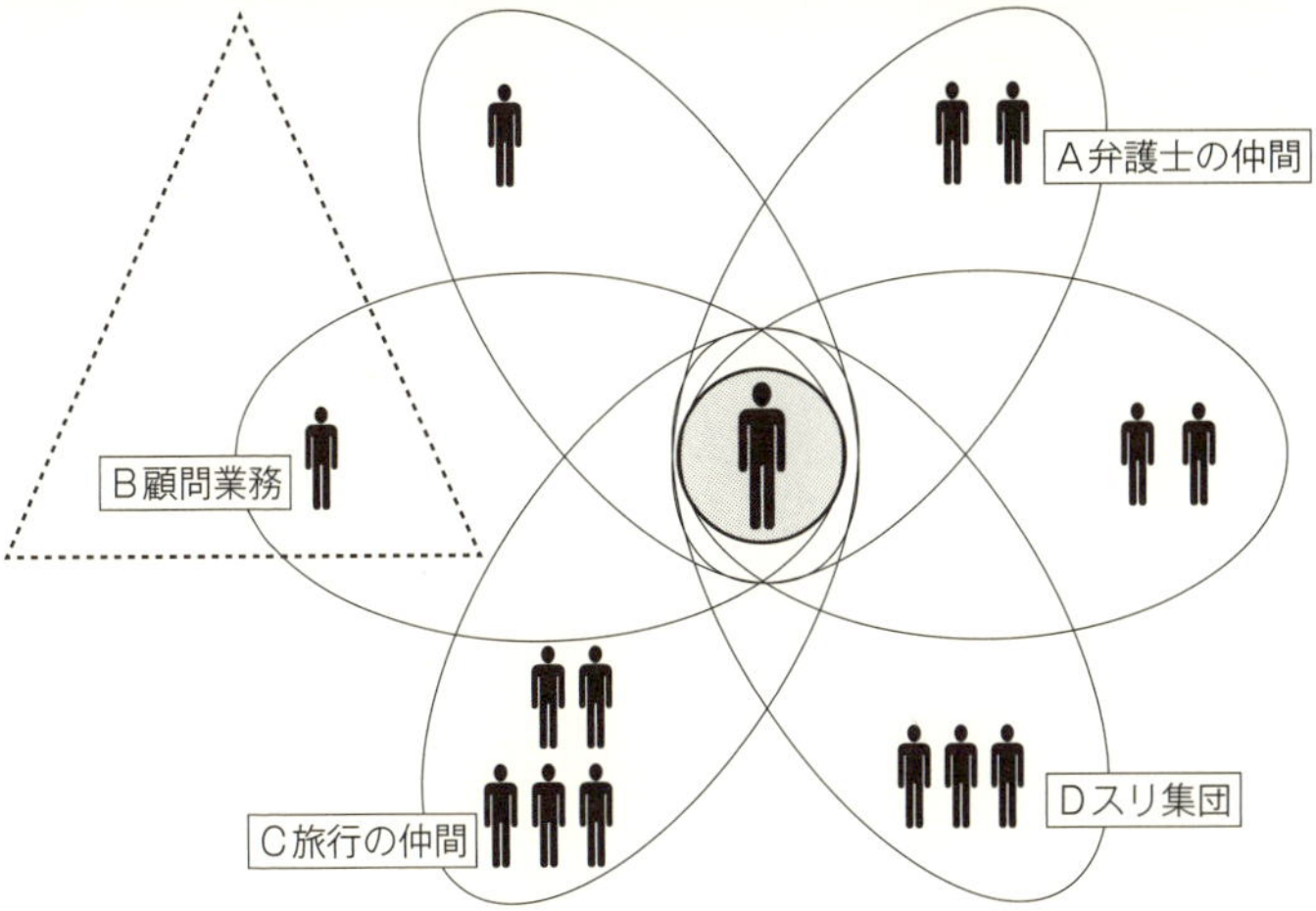


下たちを束ねるボスという夜の「顔」も持っているわけです。人を裏切らない絶対の信頼関係の上に成り立つ仲間です。

このように「タマゴ型コミュニティ」は1つだけでなく、同心円状に「花びら」のように複数のコミュニティにまたがっているのが中国人の特徴です。仲間の数が多い大きい花びら、少数精鋭の小さい花びら、花びらの数が多い人、少ない人。花びらの大きさや枚数は人それぞれです。こうした花びら状にコミュニティネットワークを張り巡らし、人と人とのつながりを基本にそれを大切にして生きていくのが中国人です。

ここで注意して見ておきたいポイントがあります。中国人は「会社」というコミュニティにシェルター機能を期待していないという点です。

中国人にとって、自分を中心とした「タマゴ型コミュニティ」も、同心円状の「花びら型シェルター」も、基本的に「会社」というコミュニティとは別の場所に存在します。

「会社」というコミュニティに期待せず、独自のコミュニティ感覚で生活設計や人生設計を考えるのが中国人です。会社に忠誠心を尽くして一生を面倒見てもらうのではなく、会社に在籍することをスキルアップの手段と割り切っている中国人も少なくありません。

そういう意味でも、中国人が会社以上に存在価値があるコミュニティとして大切にするのが「タマゴ型コミュニティ」や「花びら型シェルター」なのです。

## 瞬発的に「人の見極め」面接を行う中国人
### ～「会社」という枠を外した個人間の関係構築をめざせ～

中国人はタマゴの「殻」や花びら状に広がる「シェルター」を張り巡らし、「自己人」という仲間同士で相互に助け合うというコミュニティ感覚を持っています。これは日本人にはない独特なコミュニティ感覚と言えるでしょう。

為政者に頼らず、政治や政策に期待せず、「自分の身は自分で守る」というのが中国人の生き方の基本です。中国人は家族や強い絆で結ばれた仲間を基本単位に「自分たちの生活は自分たちで守る」という長い歴史から学んだ肌に染み付いた皮膚感覚の自己防衛本能を持っています。助け合って生きていくために仲間を作り、仕事面でもプライベートの領域でも、この花びら状に広がる仲間を大変大切にするのが中国人の特徴です。

では、ここで日本人との比較を考えてみましょう。日本人も中国人と同じように家族や友だちは大切な存在であり、人と人とのつながりを大切にするという点では変わらないと思います。

家族の絆や仲間との絆を大切にすることは、日本人でも中国人でも同じです。

しかし、日本人は「会社」という自分が所属するコミュニティを強く意識した生き方をします。組織に所属して生活の基盤を得ることが基本であり、会社に入って長期的かつ安定的な雇用を期待するのが日本人であると言えるでしょう。

日本人にとって、就職とは会社という「シェルター」の傘に入り、その中で安心と安全、そして生活の基盤を得ることです。そして、「シェルター」の中で会社という組織に守ってもらう代わりに、会社に貢献することを「使命」と考えます。会社の目標と自分がやりたいことを一致させることはなかなか難しいことですが、会社のために一生懸命働いて自分の夢が会社の中で実現できたら、それは大変幸せなことです。

会社側は組織という「シェルター」で社員を守り、人を育て、長期的に安定した雇用を提供します。組織という「シェルター」に守られた社員は、会社のために頑張って働き、組織の一員としての責任を果たし、会社に対して貢献をすることが重要と考えます。これが一般的な日本人ビジネスパーソンの仕事観ではないでしょうか。

しかし、中国人は会社という組織に「シェルター」機能を期待しません。会社という組織に「シェルター」を求めないのです。「自分の身は自分で守る」という考え方があくまでも基本であり、「シェルター」としての役割を求めるのは「タマゴ型コミュニティ」と「花びら型シェ

**図３　仕事とプライベートを分ける日本人**

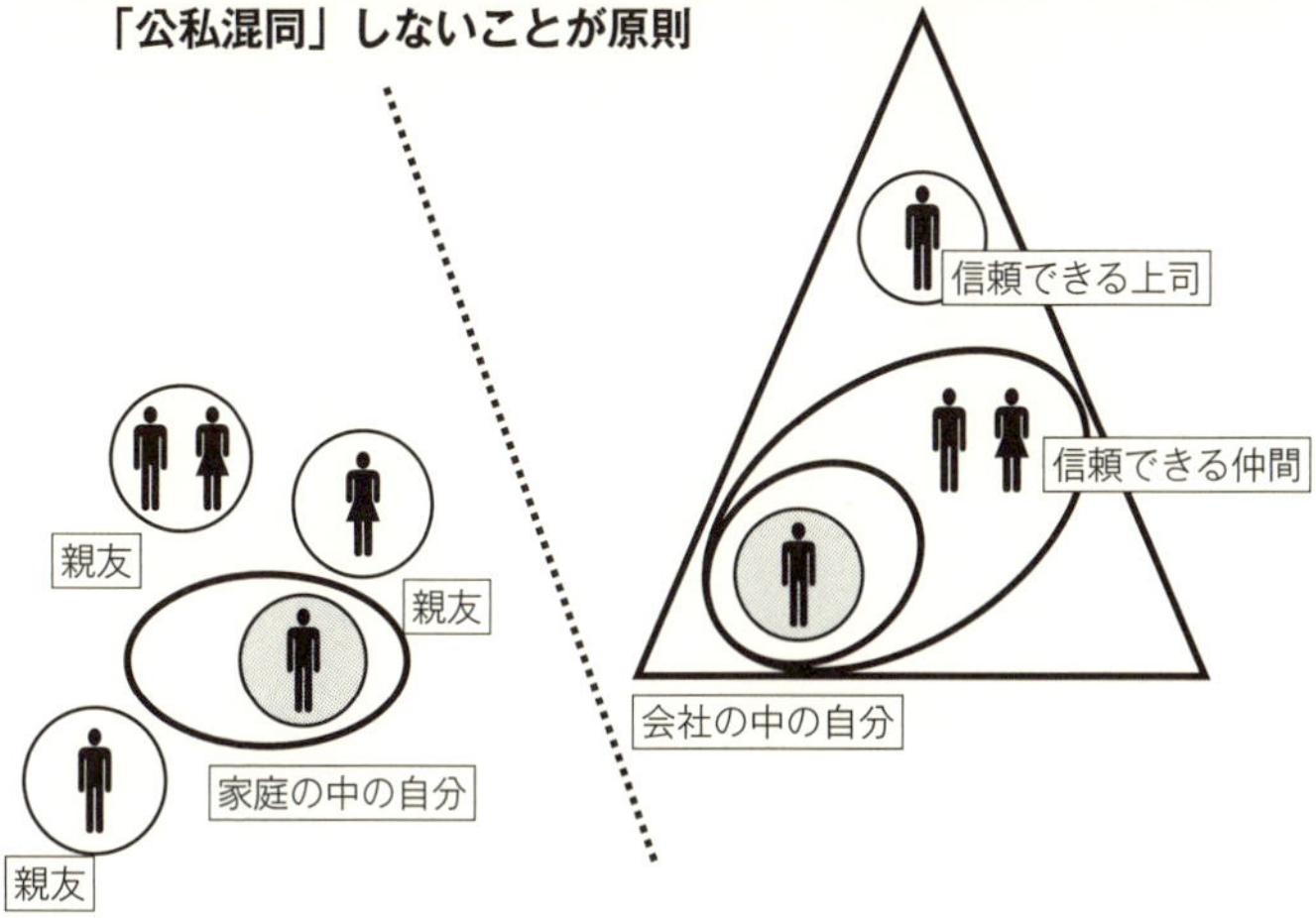


ルター」です。

中国人が家族や仲間を大切にする理由はここにあります。人と人との結びつきを大変大切にします。関係構築の基本は、会社対会社や組織対組織ではなく、人対人なのです。タマゴの殻の内側の人か、外側の人かを明確に意識し、絶対の信頼関係で結ばれている内側の仲間を大切にします。「自己人」とは自己犠牲も厭わず献身的に付き合う姿勢を示します。

中国人は自分の前に現れた相手とどんな付き合い方をしたらいいか、即座に判断する能力に長けています。つまり、タマゴの内側か外側か、面白そうな人かつまらない人物か、「自己人」の仲間になり得る相手かそうでないか、自分にとってメリットがある人物かそうでないか、即座に判断するためのアンテナを張り巡らし、何気ない会話の中から相手を見極めるためのヒントをつかみとります。日本人の苦手な点はこの点ではないでしょうか。

会う人ごとに瞬間的に「人の見極め面接」を行っていると言ってもいいでしょう。中国人は相手に急接近すべきか、どのくらいの距離感を保つべきか、短い時間で相手との何気ない会話の中からすばやく情報収集をして、相手とどのように関係構築をしていったらいいか、即座に判断する能力を身につけているのです。

一方、日本人は会社という「シェルター」で守られているため、初対面の相手との「人の見極め面接」はどうやら苦手なようです。会社対会社の付き合いが基本だからです。相手はどんな人物か、どのような関係を作っていくべきか、面白そうな人かどうか、会ってすぐの瞬間的な判断を迫られることはまずありません。

日本の場合は、むしろ会社という傘に守られながら一歩ずつ人間関係の距離感を縮めていく手法です。言い換えれば、「会社対会社」という関係を基本にして、中国人のように急接近せずに適正な距離感を保ちながら関係を深めていくことが求められているのかもしれません。個人としての瞬間的な判断は期待されないわけです。

ちょっと乱暴な言い方ですが、日本人は会社という「シェルター」に守られているために、会う人ごとに瞬間的な人間判断をする必要がなく、アンテナの感度がかなり鈍いのかもしれません。「人の見極め」というアンテナ自体の存在を意識していない人も多いのではないでしょうか。

中国人は鋭い人間観察力と個人と個人のつながりを重視した関係構築のノウハウを生まれながらにして身につけている民族です。彼らは会社という「シェルター」に頼らないで「人の見極め」を実践していくために、超高感度アンテナをみんなが持っているのです。

ぜひ、ここでまず、日本側のほうから会社という枠組みを外して、中国人と向き合って見ることをお勧めします。彼の方も会社という「シェルター」に入っているあなたではなく、あなた本人を知りたいというシグナルを送っているはずです。

## 「タマゴ」を見つける技術、「人を見極める」アンテナ
### 〜中途半端な付き合いでは「殻」は破れない〜

では、「タマゴ型コミュニティ」のタマゴはたくさん持っているほうがいいのでしょうか。

実は、多ければ多いほどいいと言うつもりはありません。「タマゴ」の関係は数が重要ではないのです。

実は、「タマゴ」の内側に入り込み、「自己人」の仲間と認めてもらうためには、大変な労力と時間を要します。人を裏切らない絶対の信頼関係です。本音で語り合い、時にはぶつかりあって彼らとの信頼関係を作り上げていくことは大変な作業です。

信頼関係の構築には1つひとつの積み重ねが重要です。何か目標を持って共通の課題に一緒に取り組んだり、時には助けてあげたり助けてもらったり、時には仕事の枠を超えてプライベートでの付き合いを深めたり、もし、一度でも人を裏切ったりすると2人の関係は完全に崩壊します。

食事に行ったり、お酒を飲みに行ったり、相手の家族との付き合いもあるでしょう。いくつもの頼まれごとをされたり、時には無理を聞いてあげたり、精神面でも体力面（お酒の付き合い）でも、本気で彼らと付き合っていくことはけっこう大変です。信頼関係の構築には時間もかかり、エネルギーが必要です。

つまり、「八方美人」になって知り合う中国人すべてとこうした関係を作りあげていく必要はないのです。誰とでも分け隔てなく平等に付き合っていきたいと思うのが日本人ですが、真剣に人間関係を深めていくためにはその相手の見極めも重要です。

逆に、中途半端な付き合い方だと、相手もあなたをタマゴの「殻」の中に入れてくれないでしょう。人間関係を深めていく相手を見極めて、彼とじっくりタマゴの関係を作っていく。多ければ多いほうがよいというわけではなく、1つでも2つでもタマゴの「殻」の中に入っていくことができれば、すばらしいことだと思います。

私自身もこれまで長い間、中国や台湾の人たちと付き合ってきましたが、実は「殻」の中に入ることができたと実感できる関係は、片手の指で納まるぐらいの人数か、もう1人か2人ぐらいがせいぜいです。

ここでみなさんに伝えたいポイントは3つあります。「タマゴ型コミュニティ」の重要ポイントです。第1に、「タマゴ型コミュニティ」という中国人のコミュニティ感覚を意識しながら中国人と向かい合ってみるということです。これから中国人と接するとき、ぜひ、「タマゴ型コミュニティ」を常にイメージしながら、中国人との人間関係の構築を行ってみてください。

2つ目のポイントは、今自分がどの立ち位置にいるかを常にイメージすることです。つまり、タマゴの「殻」のすぐ前に立っているのか、「殻」の外で少し距離を置いて向き合っていこうとしているのか、これから「殻」の中に入ろうとしている段階なのか、こうした距離感覚を自分自身で意識的にイメージしてみることが大切です。

そして、最後のポイントは、「この人だ」と思える中国人に出会ったら、果敢にタマゴの「殻」を突き破って、「自己人」の仲間に入っていくアプローチを試みてください。日本人は一般的に自己主張が苦手と言われます。しかし、「殻」を破って飛び込んでいくためには、自分自身を積極的にアピールし、意識的に「壁」を乗り越えて、「殻」を破って入り込んでいくアプローチが必要です。

これからみなさんの前にたくさんの中国人が現れると思います。いろいろなタイプの中国人が現れるでしょう。ぜひ、みなさんのほうから「会社対会社」という枠組みを意識的に外してみて、タマゴの関係をイメージしながら本音で本気で彼らに向かい合ってみてください。これまで見えなかった中国人のいろいろな部分が見えてくるはずです。

## 「急接近型」で人間関係の構築を迫ってくる中国人
### ～「（あなたと）早く親しくなりたい」が行動のベース～

江蘇省蘇州市にある「台商協会」（現地の台湾企業で組織された友好団体）を訪問したとき、私たち日本から訪れたビジネスミッションが大歓迎を受けました。ミッション団は十数名、台湾企業側は８つのテーブル、合わせて１００人ぐらいの食事会になりました。

そのとき、私たちを迎えてくれた「台商協会」の会長の言葉が今でも忘れられません。日本的な常識なら型通りの歓迎の挨拶が長々と続くところです。ところが会長の挨拶は一言でした。「ようこそ、みなさん。とにかく飲もう。それからだ……」という一言。すばらしい名言です。スピーチが短かったことがすばらしいわけではありません。これこそが彼らのビジネススタイルそのものなのです。

日本人はビジネスを前提に人間関係を作ろうとします。仕事を前提に先方の担当者と人間関係作りを考えるのです。しかし、彼らはその逆です。まず友だちになり、親交を深めながら人間関係を作り、それから一緒にできる仕事を考え出そうというスタンスなのです。

「とにかく飲もう。それからだ……」という一言に彼らのビジネススタイルが凝縮されています。恐らく日本企業同士なら出てこない一言でしょう。初対面の相手をいきなり食事に誘ったり、お酒の席で重要な仕事の話をすることは、日本では考えられないことです。いきなり食事会に誘ったりすると、逆になれなれしくて失礼になるのではないでしょうか。

日本人と中国人とでは、人間関係を作る上でのアプローチの方法が違います。中国人の人間関係構築法は「急接近型」です。仕事面でもプライベート面でも「早く親しくなりたい」と考えるのが中国人です。

一方、日本人は「距離感重視型」です。親密度の段階ごとにあえて距離感を設けて、その距離を一歩ずつ徐々に縮めながら人間関係を構築していくのが日本人です。

たとえば、みなさんはこんな経験がないでしょうか? 中国の空港で荷物検査を終えて到着ロビーに出ると、満面の笑顔、手を強く握る握手、オーバージェスチャー気味に「熱烈歓迎」をしてくれる中国人。荷物をクルマに運んでくれて、そのクルマはホテルに直行。ホテルでチェックインを済ませるとすぐに食事会。宴席では「乾杯攻撃」が待っています。中国ビジネスに携わった経験がある方なら、程度の差こそあれ、このような経験があるのではないでしょうか。

**図４ 「急接近型」で人間関係づくり**

結婚しているの？
クルマは？
お給料はいくら？
家族は何人？
マンションは？
熱烈歓迎
お酒、タバコ、食事、
カラオケ、家族
早く友達になりたい

親交を深めるための最大の近道は「お酒」と「タバコ」と「うまい料理」というのが中国流です。酒盃を交わして胸襟を開き、うまい料理を食べながら親交を深める。なるほど確かにお酒の席は人間関係作りの絶好の機会です。これが中国流「急接近型」の人間関係構築のアプローチです。

日本人なら、まずは名刺交換。次はランチにでも誘って、「よろしければ今度ご一緒にお食事でも」と夕食に誘うまでに一歩ずつ距離感を縮めていきます。気心が知れた仲になって「一緒に飲みにでも行きましょう」という関係にまで進むには、いくつかの段階を経て、時間をかけて関係作りをします。それぞれの段階ごとの距離感を重視しながら、一歩一歩距離感を縮めて関係を構築していくのが日本流です。

「急接近型」のもう1つの事例を挙げてみましょう。知り合ってまだ間もない友人から「あなたの年収はどのくらいですか?」といった質問をされることがあります。みなさんも「お給料はいくらですか?」「結婚していますか?」「どんな家に住んでいますか?」「どちらの大学の出身ですか?」といった質問をされたことはないでしょうか。

日本人同士なら初対面の人にこんな質問はまずしないでしょう。しかし、彼らはこうした極めてプライベートな質問を遠慮なしにぶつけてきます。普通の日本人ならちょっと引いてしまうところです。突然の質問に驚いて、どう答えたらいいか戸惑ってしまう人も多いのではないでしょうか。

しかし、中国人がこのような質問をしてくるのは、「早くこんな話題のやりとりができるような関係になりたい」「少しでも早くいい友達になりたい」という気持ちの現れです。

いきなり「あなたの年収はいくらですか?」と聞かれたら、たいていの日本人はびっくりしてしまいます。同僚や親しい友達にすらそんな質問をされることはないでしょう。「まだそんなに親しくないのに……」「なんて失礼な奴だ」と思ってしまうのではないでしょうか。

しかし、これは距離感を一気に縮めようとする彼ら独特の人間関係構築のためのアプローチです。びっくりしないでコミュニケーションをとっていくことが大切です。もちろん、本当に年収を聞きたいわけではないので、正直に年収を答える必要はありません。

たとえば、「私の年収ですか？　そうですね。陳さんの5倍ぐらいかな？　でも、日本は中国の10倍ぐらい物価が高いですから、お小遣いとして使えるお金は陳さんのほうが多いんじゃないですか」といった答え方はどうでしょうか？　ユーモアを交えて答えられたら2人の距離感は一気に縮まります。

プライベートな質問をされたらどう答えるか。収入のことや家族のこと、どんな家に住んでいて、どんなクルマに乗っているか、好きな食べ物や好きなお酒、さらに趣味や特技など。「急接近型」で聞かれたときの模範解答を予め準備しておくといいかもしれません。

## 「距離感重視型」で人間関係作りを行う日本人
### 〜中国人には理解できない「他人行儀」な態度〜

「急接近型」の中国人に対して、日本人は「距離感重視型」です。つまり、距離感を保ちながら一歩一歩関係を深めていく手法です。初対面の相手をいきなり食事に誘う日本人はいないでしょう。相手との距離間隔を保ちながら、互いにその距離感を意識して一歩ずつ信頼関係を深めていくのが日本流と言えます。

たとえば、初対面の相手との名刺交換では、握手ができる距離より、ほんの少し離れた立ち位置でお辞儀をして名刺の受け渡しをします。無意識に相手との距離をある一定のラインで保ち、あまり近づき過ぎると逆に違和感があります。

名刺交換ではまず「会社名」から名乗るのも日本人の特徴です。「○○物産の鈴木と申します」というように、まず自分が所属する「会社名」を名乗ります。ほとんどの日本人はそうするでしょう。自己紹介の言葉からも会社に所属しているという姿勢が感じ取れます。本人は無

**図５ 「距離感重視型」で一歩ずつ関係構築**

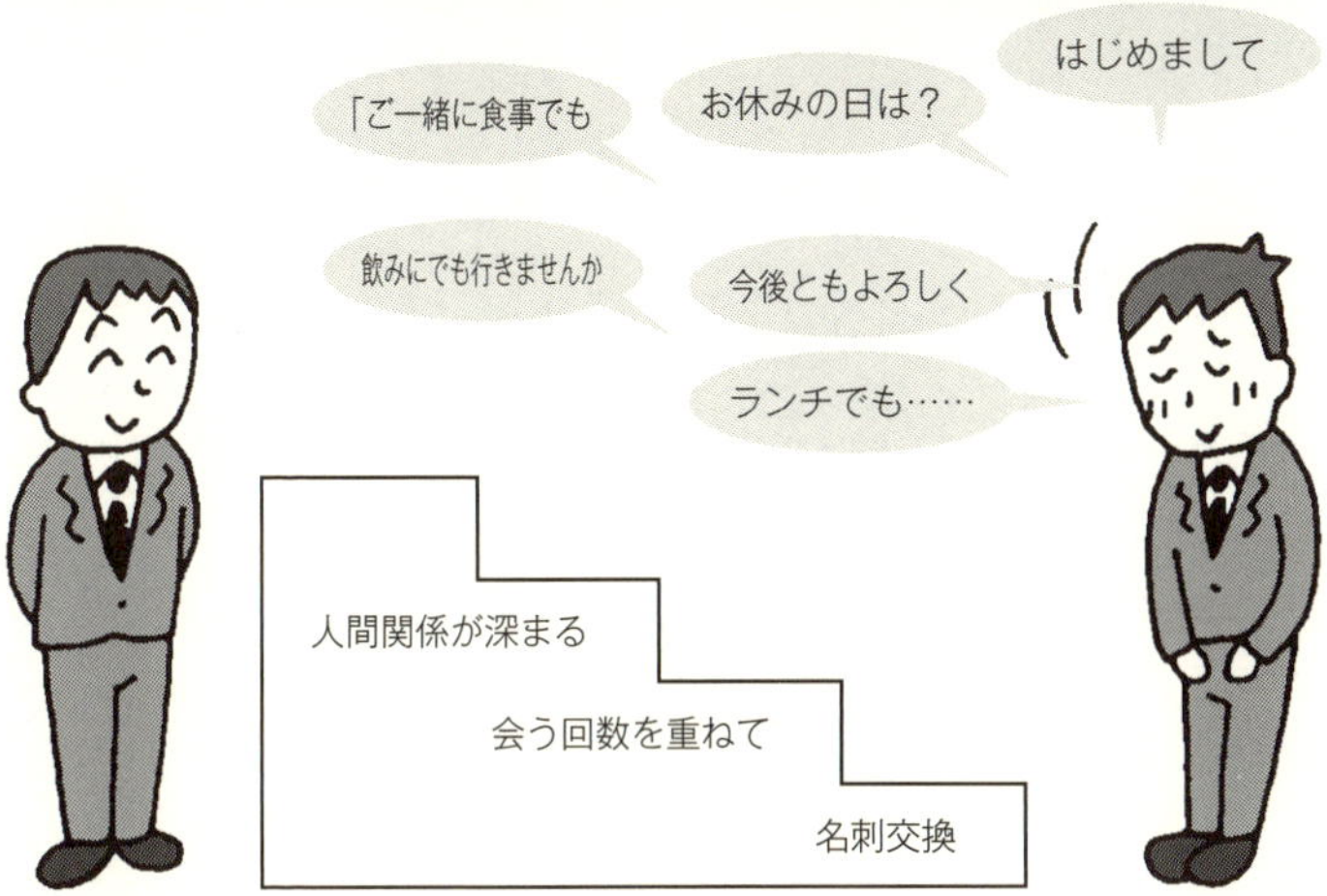
はじめまして
お休みの日は？
「ご一緒に食事でも
今後ともよろしく
飲みにでも行きませんか
ランチでも……
人間関係が深まる
会う回数を重ねて
名刺交換

意識にそうしていることでしょう。

会社という「シェルター」に帰属し、会社に守られながら仕事をしている日本人を象徴する自己紹介の仕方です。会社は自分を守ってくれる「シェルター」であり、自分も会社のために貢献することが「社員としての責任」であると自覚しています。日本では「会社名」から名乗ることが当たり前ですが、中国人も欧米人もまずは自分の「名前」から名乗ることが一般的です。

初対面での距離感がミーティングを重ねるごとに少しずつ縮まっていきます。ビジネスランチに誘う、夕食に誘う、お酒に誘う、ゴルフに誘うなど、会う回数を重ねることによって人間関係を少しずつ深めていくわけです。

このように相手との距離間隔を意識的に保ち

ながら、それを一歩ずつ縮めていく手法が日本流の「距離感重視型」アプローチの特徴です。中国人の「急接近型」とは対象的に、意識的に距離感を保つことが日本流と言えるのではないでしょうか。

また、ビジネス上の付き合いとプライベートの付き合いを分けて考えるのも日本人の特徴です。仕事は仕事、プライベートはプライベートなのです。日本語には「公私混同」という言葉があります。「公私混同」はいけないことです。

家では奥さんに「仕事のことを家に持ち帰らないで……」と言われ、会社では上司に「会社に家庭の事情を持ち込むな」と言われます。家庭と仕事との間に境界線を持っているのが日本人です。

しかし、中国ではこの境界線が極めてグレーです。会社という「シェルター」を持たないのが中国人ですから、無理もありません。仕事とプライベートを切り分けずに「花びら型シェルター」のコミュニティで積極的に使い分けるのが中国人です。家族で会社経営したり、親戚や一族を役員に採用するなど、仕事とプライベートを切り分けずにむしろ一体化しているケースもあります。

また、人間関係を深めるために家族や親しい友人を紹介してくれることがあります。時には家族の食事会やホームパーティーに誘われたり、ハイキングやスポーツ、ミニ旅行などプライベートのイベントに誘われたり、家族とのつながりも大切な人間関係作りの1つと考えるのが中国人です。

日本人は「いきなりなれなれしくするのは相手に対して失礼」と思う気持ちや相手に遠慮して「家族を交えたプライベートな付き合いはちょっと……」と考える人もいるのではないでしょうか。

日本人のこのような点は中国人から見ると逆に理解できないポイントです。「本当に友達になろうとしているのか」とか、「積極的に親しくなろうとしていない」とか、「日本人に避けられている」という印象を持つ中国人も少なくないようです。

## 「よく知っている」という基準の感覚差

### ～一度会っただけでも、「よく知っている」?～

「急接近型」というのが中国的な手法なのですが、ここで1つ気づいたことがあります。彼らが言う「よく知っている」という間柄は本当に「よく知っている」なのかどうかという点です。彼らの「知っている」という意味は、どうやら日本人とは違う感覚の差があるようです。具体的なケースで考えてみましょう。

木村さん（仮名）はある「国際会議」に友人の陳さん（仮名）と一緒に出席しました。市政府の要人も多数出席する重要な「国際会議」です。木村さんは陳さんに出席者と面識があるかどうかを聞いてみます。

「陳さん、中央の席に座っているのは経済担当の王副市長だけど、知っている?」

「はい。よく知っていますよ」

「本当? さすが陳さんだね。顔が広いね。それからその右の謝さんは共産党の書記だよね」

「はい。謝さんもよく知っていますよ」

「えっ、謝さんも知っているの？　じゃ、ぜひ紹介してください。後で挨拶に行きましょう」

木村さんと陳さんは食事会のテーブルでこんなやり取りをしました。

しかし、問題は陳さんが答えた「よく知っている」という言葉の意味です。陳さんの言葉を聞いた木村さんは、陳さんは副市長の王さんとも共産党書記の謝さんとも面識があり、大変親しい関係であると理解しています。しかし、本当にそうでしょうか？

「陳さん、副市長の王さんとはどういう間柄？　どこで知り合ったの？」と木村さんが質問すると、

「はい、王さんとは先週の会議で名刺を交換しました」

「えっ？　名刺交換しただけ？　一度しか会っていないの？」

「そうですよ」という陳さんの答えを聞いた木村さんは唖然とします。

「それじゃ、謝さんは？　けっこう有名人だよね」

「はい、よく知っていますよ。共産党の謝さんはよくテレビで見ますから……」

「えっ？　それって『よく知っている』って言わないじゃない」と、木村さんは再び唖然とします。

これは「よく知っている」という言葉の意味について、両者が共通の基準がないまま会話を

していることが問題です。どのくらい親しいか、お互いが勝手な思い込みで会話しています。言葉の感覚差がコミュニケーションギャップを生んだわけです。

陳さんにとっては、「名刺交換をした」「食事会に同席した」「国際会議で見かけた」「よくテレビで見る」「同じ大学の出身だから」「同郷だから」という理由でも「よく知っている」です。陳さんにとっては、たった一度会っただけでも「よく知っている」なのです。

もし、日本人なら同じ「知っている」という言い方をしても、「知っている」という程度を段階的に区別して考えているはずです。「初めて会った人」「ちょっとした知り合い」「よく知っている間柄」「頻繁に会う友人」「腹を割って話ができる親友」「固い絆の大親友」というように、自分と彼との間の親しさの度合いを意識しているはずです。

しかし、中国人にとって「知っている」か「知らない」か、この間の程度差がないのです。陳さんは決して木村さんを騙そうと思って言ったのではありません。中国人にとって「知らない人」以外は、みんな「よく知っている人」なのです。こうした感覚の違いによる小さなボタンの掛け違いがきっかけになり、小さな傷口を作り、気がつくとその傷口が大きく広がり、些細な誤解だったはずの一言が「陳さんに騙された」「彼は嘘をついた」「彼に裏切られた」という結果になってしまうことがあります。繰り返しますが、陳さんは決して木村さんを騙そうと思って言ったわけではないのです。

**図６ 一度会っただけでも「よく知っている人」**

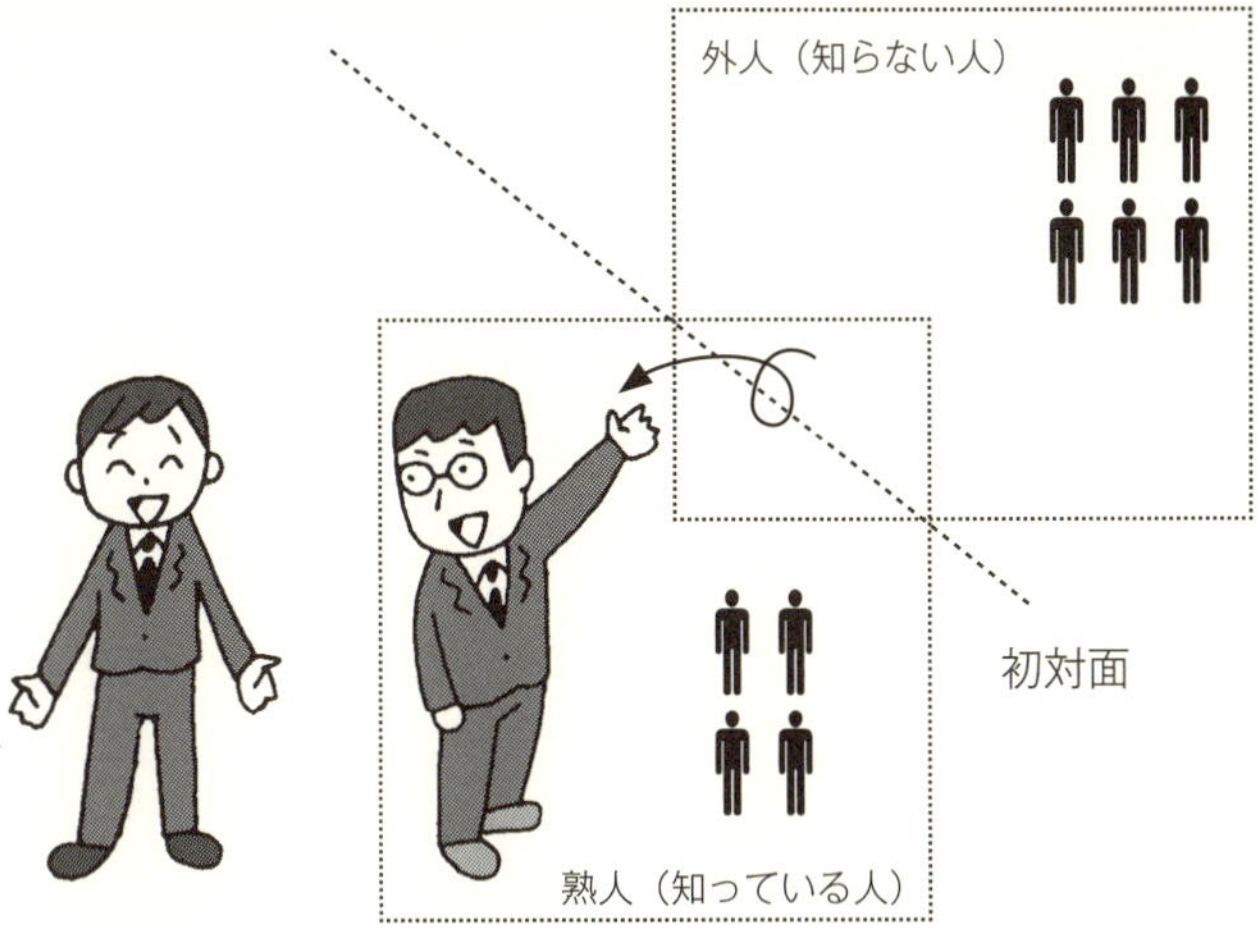


**図７ 「知っている」にも段階的な関係がある**

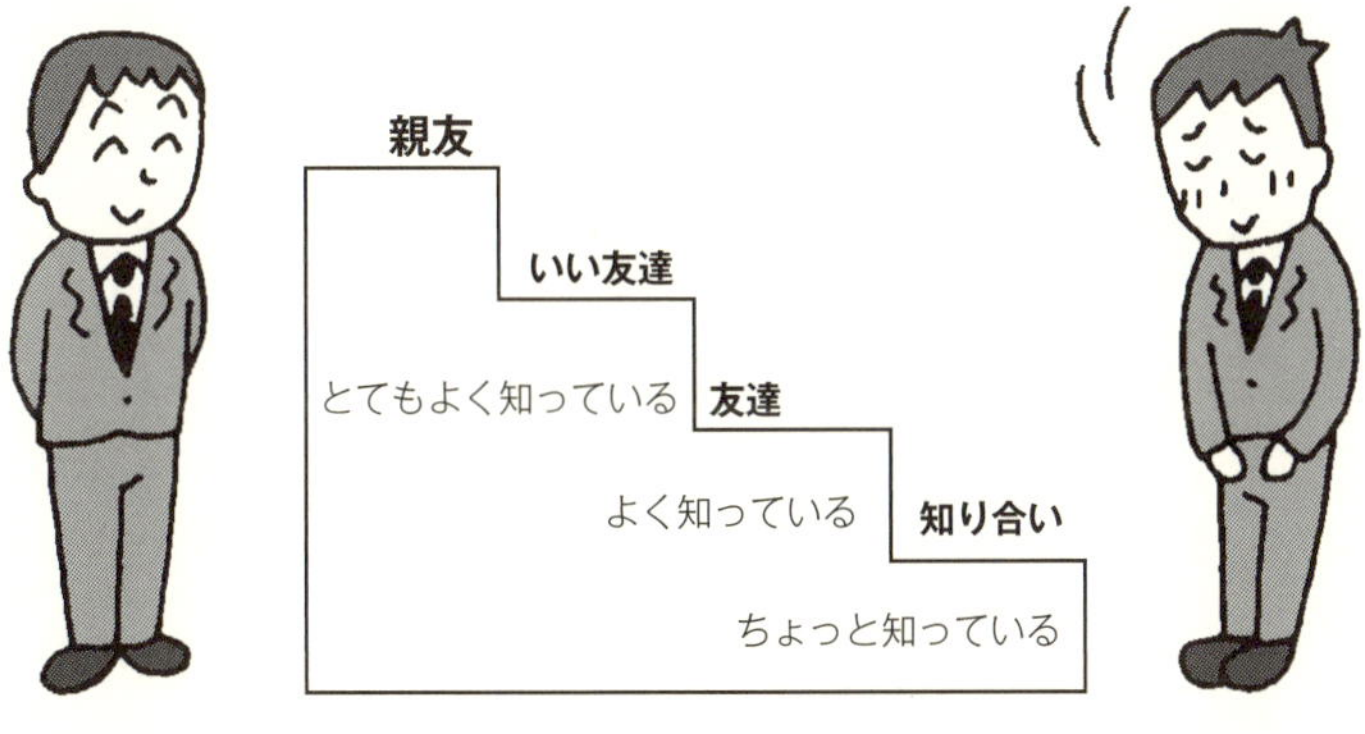

## 「知っている人」には大変フレンドリーな中国人
### ～できるだけ早く「熟人」になることがコツ～

中国人の大きな特徴として、「知っている人」には大変フレンドリーで、逆に「知らない人」には対しては大変冷たいということがあります。「知っている人」なのか「知らない人」なのか、この違いで接するときの態度がまったく違ってしまうのです。

図8を見てください。山田さん（仮名）にとって面識のないホテルの服務員の存在は「知らない人」です。これを「外人《ワイレン》」と言います。「外人」は外国人という意味ではありません。「知らない人」という意味です。「はじめまして……」と挨拶をして「知っている人」になると、「熟人《シユウレン》」の仲間に入ります。「熟人」とは「知っている人」です。中国人から見て山田さんが「外人」なのか「熟人」なのか、この違いで山田さんへの対応がだいぶ違ってきます。

1つの事例です。山田さんはインターネットでホテルの予約をして、ホテルにチェックインします。中国出張ではいつも利用しているホテルで、マネジャーの陳さんとは懇意の仲です。

図８　知っている人にはフレンドリーな中国人（１）

　仕事の打ち合わせが長引き、予定の時間よりかなり遅れて山田さんがホテルへ行くと予約してあるはずの部屋がありません。原因はわかりませんが、何かの手違いで予約ができていなかったようです。あいにくマネジャーの陳さんはすでに帰宅した後でした。

　山田さんは受付の服務員に直談判しますが、「予約を受け付けていない」「今日は空いている部屋がない」の一点張りでどうしようもありません。山田さんが「インターネットでちゃんと予約した」「もう一度ちゃんと確認してほしい」「これはホテル側のミスだ」と主張しても、服務員は「いくら調べても予約を受け付けた記録がない」「私には原因がわからない」「これは私の責任ではない」といった対応で、ホテル側も譲らずカウンターでの押し問答が続きました。

これは「知らない人」に対する典型的な対応です。みなさんも似たような経験があるのではないでしょうか?

そこへ帰宅したはずのマネジャーの陳さんがホテルに忘れ物を取りに戻ってきました。さっそく陳さんに事情を説明すると、「わかりました」と言ってパソコンの画面をチェックします。すると、「大丈夫です。ちょっと待ってください」と言ってすぐに部屋の鍵を手渡されました。しかも、「スイートを使ってください。この部屋を使ってください。料金はいつもと同じでいいですよ」という対応です。

受付の服務員とはまったく違う対応です。山田さんは陳さんにとって「知っている人」なのです。中国人は「知っている人」には大変優しく、「知らない人」には逆に冷たいという特徴を持っています。「知っている人」と「知らない人」に対する対応はこれほど違うという典型的な事例です。

もう1つの事例を紹介しましょう。仕事でよく蘇州に行く機会があります。定宿にしているホテルの近くによく昼ごはんを食べに行く食堂があります。どこにでもある普通の食堂ですが、「牛肉麵」(牛肉の角煮が乗ったソバ)がうまい店でホテルの近くで簡単に食事を済ませたいときにはよく利用する行きつけの店です。

ある日、遅い昼食を取ろうと2時近くに食堂に行って、いつものように「牛肉麵」を注文し

**図９　知っている人にはフレンドリーな中国人（２）**

ました。しかし、食券を売っている受付のおばさんは「コックが昼休みに出ちゃったから牛肉麺は作れない」とそっけない態度です。コックさんにも昼休みはあるかもしれません。しかし、「客が注文する料理を出さないとはけしからん」とおばさんに直談判しました。

結論、このおばさんは「できないものはできない」の一点張りで、「別のものを注文しなさい」「牛肉麺を食べたいならもっと早い時間に来なさい」、挙げ句の果ては「いやなら別の店で食べなさい」という何ともそっけない対応です。しかたなくその日はあきらめて、別の料理を注文して昼食を済ませました。このおばさんの態度は「知らない人」に対する典型的な対応です。

そこで、次の作戦です。腹の虫を抑えつつ、食事をしながら受付のおばさんと世間話を始めました。「最近の景気はどう？」「日本人のお客さんもお店に来るの？」「最近は日本から視察に来るお客さんは増えている？」「ここの牛肉麺はホントにおいしいよ」とおばさんに話しかけ、世間話に持ち込みます。おばさんもつられて商売のことや土地のことをいろいろと話してくれました。

翌日、また同じ時間帯にこの食堂に行って「牛肉麺」を注文すると、おばさんがニコニコした表情で対応してくれます。「ちょっと待って、今牛肉麺のコックを呼んできてあげるから……」と昼食に出かけていたコックをわざわざ呼びに行ってくれるのです。昨日とはまったく違う対応です。

「すぐ来るから、ちょっと待っていてね」と言って、テーブルに箸と取り皿を並べてくれました。サービスに「小菜」（小皿のおつまみ）が1つ付きました。昨日の「世間話作戦」が見事に功を奏したわけです。「知らない人」から「知っている人」に変わるとこうも対応が違ってくるのです。作戦成功です。

これは中国人が「知っている人」と「知らない人」では接し方を変えるという事例の1つです。

つまり、中国人と付き合うには、できるだけ早く「知っている人」になったほうが得です。ほんのちょっと接点を見つけるだけで「冷たい中国人」が「フレンドリーな中国人」に大変身します。

これは中国語ができるかどうかという問題ではありません。できない人でも身ぶり手ぶり、ジェスチャーでもいいでしょう。片言の中国語でも漢字を書いた筆談でもいいでしょう。問題はこちらの気持ちが伝わるかどうかです。「知っている人」の仲間になれるかどうかがポイントです。

帰国の前日、「明日帰るよ」と挨拶に行くと、その日は「牛肉麺」にビールを1本つけてくれました。もちろんビールはおばさんの「おごり」です。

## 「世間」というコミュニティ感覚を持たない中国人

### ～善悪《よしあし》の判断に「世間」を基準にしない中国人～

このページでは中国的なコミュニティと日本との違いについて、まとめをしておきたいと思います。図10をご覧ください。中国的なコミュニティの特徴は、「タマゴ型コミュニティ」を基本にシェルターとなる「花びら型コミュニティ」です。同心円状に花びらが重なっていることが特徴です。

基本的に会社に対する帰属意識は低く、スキルアップを目的に転職を繰り返すケースが多いことも特徴の1つです。会社という組織に「シェルター」機能を期待せず、「自分の身は自分で守る」というのが基本です。

「タマゴ型コミュニティ」の仲間は運命共同体的な仲間で、絶対に人を裏切らない固い絆で結ばれています。会社という「シェルター」に期待しない代わりに、こうした仲間を非常に大切にしながら人的なネットワーク作りをしています。

**図10 花びら型シェルター**

「世間」という拡大共同体をあまり意識しないコミュニティ感覚
・ルールやモラルは「花びら」が基準
・「花びら」のウチとソトで対応が変化
・「恥ずかしい」基準は「世間」ではなく「面子」

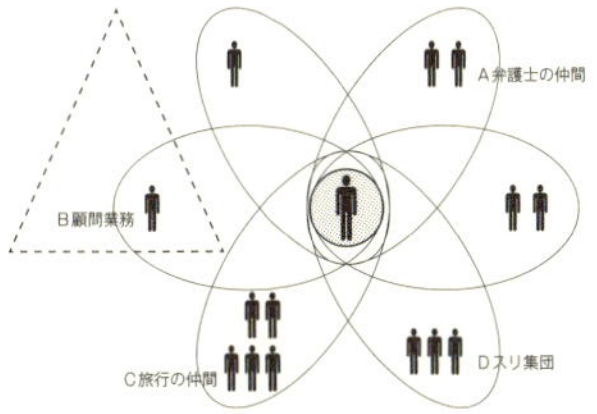


**図11 会社がシェルターの役割**

「世間」という拡大共同体を強く意識したコミュニティ感覚
・「世間体」「世間様」を強く意識
・「人様に迷惑がかからないように」
・「恥ずかしいからよしなさい」

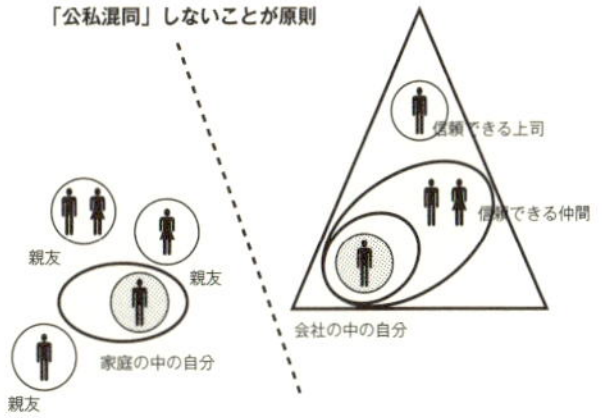


たとえば、独立して会社を経営する場合、「タマゴ型コミュニティ」の中から信頼できる社員を選び、また会社の要職には親戚や親族などを採用するケースもよくあります。つまり、「タマゴ型コミュニティ」の仲間で経営陣を固めるわけです。

一方、日本は会社というピラミッドが「シェルター」の役割を果たし、組織に所属することが仕事と生活の基本となります。会社に入ると、長期的かつ安定的な雇用を期待するのが日本人の特徴です。会社は社員を教育し、社員側も会社に忠誠を尽くし、会社に貢献することで長期的な雇用を前提とした信頼関係が成り立っています。

ここで日本のもう1つの特徴について触れておきます。日本では会社というコミュニティの外側に、共通の認識として「世間」という拡大共同体が存在します。これは日本独特のコミュニティ感覚ではないでしょうか。当たり前すぎて意識すらしていない共通認識かもしれません。

たとえば、親が子供を叱るときに、日本人はこんな言い方をよくします。

「いけませんよ。そんなことしたら人様に迷惑がかかるじゃない」

「そんなことするのはよしなさい。人様が見ているわよ」

「そんなことしちゃ、世間体が悪いじゃないの……」

つまり、やっていいことと悪いことを「世間」という基準で判断しているようです。

たとえば、子供が道に落ちているキャンディを拾って食べようとします。

「やめなさい。そんなことしたら恥ずかしいじゃない」

落ちているキャンディを食べてお腹を壊すからやめなさいではなく、道に落ちているキャンディを拾うという行為が恥ずかしいから注意を与えるのです。

つまり、「世間体が悪い」「世間様に迷惑がかかる」「人様に顔向けができない」「世間様がだまっていない」「世間ではそれは通用しない」というように「世間」が叱るときの1つの基準になっています。

事の良し悪しを親と子との関係で教えるのではなく、「世間」という基準から見て恥ずかしいことかどうかが判断の基準になっているようです。

中国人の友人にたずねてみたところ、中国語にはこの「世間」に該当する概念は1つの単語では表現できないという答えでした。バスの中でお年寄りに席を譲らない人は「不厚道《プーホウダオ》」という表現を使います。「世間」を基準にして恥ずかしいことではなく、その本人が親切かどうかという個人の問題です。

みんなが共通の枠組みとして持っている「世間」という拡大共同体としてのコミュニティ感覚は、日本独特の存在かもしれません。そして、日本人はそれをほとんど意識せずに「当たり前」のように受け入れているのです。

「世間体」と言えば、日本人には誰でも理解できる言葉です。しかし、中国人にはなかなか理解しにくい概念なのかもしれません。

## お年寄りには必ず席を譲る中国人
### ～「世間体」ではなく、純粋にお年寄りを敬う気持ち～

昨年、1年間町内会の役員を引き受けました。輪番制で回ってきた役員です。月に一度の会合や近くの公園を掃除する奉仕活動がありました。自主的な活動なので、参加不参加は自由なのですが、役員になっているとなんとなく出ないわけには行きません。

「やっぱり行かなくちゃ、世間体が悪いよね」という思いで、眠い目を擦りながら公園の掃除に出かけることもありました。

「あれ、役員なのに今日は来ていないですね。どうしたんでしょうね」と言われたくないので、とりあえず参加する。「さぼったと思われたくない」「役員なのに出ないと申し訳ない」「行かないと世間体がない」という気持ちです。積極的な姿勢とは言えない参加ですが、みなさんにもこのような経験が多かれ少なかれあるのではないでしょうか。

一方、中国人は「世間」という拡大共同体に対する意識が低いために、あまり「世間体」とか「人様が」ということを気にしないことが多いようです。中国人にとっては「行かないと世間体がないから行く」ということはないのでしょう。行く場合でも行かない場合でも、自分でそうすべきかどうかを判断して決めるわけです。

世間の目を気にせず列に割り込んだり、大きな声で話をしたり、日本人が「中国人はマナーが悪い」と思う背景には、「世間を気にしない」というコミュニティ感覚の違いがあるようです。確かに列に並ばずに割り込んだり、周囲の目を気にせずに大きな声で話をする中国人を目にすることは決して気持ちのよいものではありません。日本人から見ると、ぜひ改善を望みたいところです。

しかし、彼らの間で「世間を気にしない」ことが当たり前のことであるとしたら、中国人同士では誰も何も気にならないのかもしれません。日本人にはわかりにくいことですが、彼らの「世間を気にしない」という生き方の基本姿勢とその背景が理解できないと中国人はなかなか理解できないのではないでしょうか。

中国人同士が街中で口ゲンカをしているのを見ていると、面白いことに気づきます。彼らは「世間体」を気にして恥ずかしいと思うどころか、如何に自分の言い分が正しいかを正々堂々と主張し、周りに集まった野次馬にも必死で訴えかけるのです。そうして1人でも多くの観衆を味方につけたほうが勝ちです。「世間体がない」とか、周りから見られて「恥ずかしい」という気持ちはありません。逆に1人でも多くの味方を得るために、周囲に向かって必死になって自分の主張を訴えかけます。中には援護射撃をする人がいたり、喧嘩の相手をかばう人がいたり、周りに集まった観衆もこの喧嘩に参戦して、道端で大激論が交わされることがあります。「世間」に迷惑をかけないことではなく、むしろ自己主張をすることで「世間」をうまく味方につけることを考えるのが中国人なのです。

ここで中国人のよさにも触れておきましょう。もしかしたら中国人は日本人以上に社会に対して優しい人たちなのかもしれません。

混雑するバスの中にお年寄りが乗ってくると、中国では間違いなくお年寄りに席を譲ります。乗るときには列に割り込む中国人が、お年寄りには必ず席を譲るのです。シルバーシートでもそうでなくても、お年寄りには必ず席を譲るのが中国人です。

「譲ってあげないと周りからどう見られるか恥ずかしい」から席を譲る。そう思う日本の方もいるのではないでしょうか。実は、私自身もその1人でした。「子供の見ている前で大人として恥ずかしい」とか、「ここで席を譲ってあげないとカッコ悪い」とか、そんな気持ちから席を譲ることもありました。しかし、「お年寄りを大切にする気持ち」から席を譲るのが中国人です。周囲からどう見られるかを気にして席を譲るのではなく、お年寄りを大切にする気持ちから席を譲るのです。

中国の公衆トイレはお世辞にもキレイとは言えません。北京の裏路地には「胡同《フートン》」といって庶民の街並みが今でも残っています。ところが、この「胡同」を歩いていて路地裏の公衆トイレを使わせてもらうと、このトレイの掃除が見事に行き届いていることに驚かされます。これは地域のコミュニティが管理しているからです。こうしたトイレは、どこもしっかり掃除が行き届いているようです。

一方、市が管理しているトイレや観光事務所が管理しているトイレは、やはりそれなりです。管理する主体が誰かによってきれいなトイレに対する思いの違いを感じることができます。地域に根ざしたコミュニティではトイレもピカピカなのです。

私の町内会の話に戻りますが、定期的に掃除をする公園の隅にキンモクセイの樹があります。十月になるとオレンジ色の小さな花をたくさんつけ、広い公園全体がキンモクセイのいい香りで包まれます。私も毎年その季節をとても楽しみにしています。

実は、このキンモクセイの周辺を特にきれいに掃除する町内会のおじさんがいます。聞くと、決められた清掃日に限らず、落ち葉の季節には毎日のように、キンモクセイの周りを念入りに掃除していくそうです。このおじさんもこのキンモクセイが大好きなのでしょう。

決められたことだから掃除に行くのではなく、こういう姿勢こそ「世間体」を越えた本来の姿ではないでしょうか。中国にはこんなおじさんがたくさんいるのではないかと思います。

# 「中華思想」と「愛国心」の背景にあるもの
## ～民族意識は中国人を1つにまとめるための手段？～

ここまで中国人のコミュニティ感覚を見てきました。会社中心の日本とは違い、独特なコミュニティ感覚を持っていることをご理解いただけたでしょうか。会社の看板を背負って仕事をする日本人とは違い、プライベートでもビジネスシーンでも、人と人とのつながりを重視し、信頼関係とネットワークを大切にしてビジネスを進めるのが中国人です。

また、自分が所属するコミュニティを重視すること、「世間」という拡大共同体的なコミュニティ感覚が希薄なこと、会社というコミュニティに大きな期待を寄せていないことなどにも触れてきました。日本人が「世間体」や「人様の目」を強く意識するのに対して、彼らは所属する最も身近なコミュニティを重視します。「タマゴ型コミュニティ」が毎日の生活や人生設計の基本単位です。

また、出身地によって仲間意識が強いのも中国人です。上海人も広東人も福建人も、中国人はどの地域でも出身地ごとにそれぞれ強い仲間意識を持っています。

地方から出稼ぎ者が集まる全寮制の工場で、四川省出身のグループの寮の管理を上海人のリーダーに任せるとうまくいかないことが多いと言われています。特に上海人だからダメというわけではありません。四川省出身のグループの管理は四川省の人に任せるほうが効果的だということです。出身地ごとに仲間意識が強く、リーダーを選ぶときは同郷の人間のほうがよいと言われています。これは広東省に生産拠点を持つある日系企業の総経理のコメントです。

同様の理由で寮の部屋に出身地が違う人たちを混ぜて入れると、管理が難しくなります。「みんなに早く仲よくなってもらおうと、出身地の違う人たちを組み合わせて部屋割りをしたら大失敗だった」という話もありました。なるべく同郷の人たちを同室にして、リーダーも同じ出身地の人に任せるほうがよさそうです。

日本にも出身地別に「県人会」という組織がありますが、中国人の同郷意識は日本人の比ではありません。日本のように年に数回集まって懇親の場を設けるための集まりではなく、中国では同郷人たちが集まって相互に助け合う仕組みを持った組織です。

強い絆で結ばれた運命共同体的な仲間と言えるでしょう。「自分の身は自分で守る」ことが基本である中国では、こうした組織は長い歴史の中で育んできた自分たちの生活を守る知恵が凝縮された集まりなのでしょう。

「タマゴ型コミュニティ」から「花びら型シェルター」を重視するのが中国人ですが、その外側に「世間」という拡大共同体としてのコミュニティ感覚は希薄で、何か重大な事態が起こると、「世間」という拡大共同体としてのコミュニティを飛び越えて、個人のエネルギーが一気に「中華思想」のところに昇華してしまう傾向があります。「中国」という国家を強く意識していると言ってもいいでしょう。

中国人は民族意識が強く、「中国」という5000年の歴史と伝統を重んじる民族です。国と国とのトラブルが起こると民族意識がことさら強調され、「大同団結」してしまうのが中国人です。これも5000年という長い歴史の中から育まれてきた中国人特有の自己防衛本能なのかもしれません。

これまでも日中間で歴史認識の問題や対立の構図が浮き彫りになる事件やトラブルが起こる度に、国を愛する気持ちが「中華思想」の旗の下で結集し、反日デモや日本製品の不買運動などに発展するケースがたびたびありました。いざというときには「中華思想」を根本理念に「中国」という旗の下に一致団結して1つになるのが中国人特有のコミュニティ感覚です。

逆の見方をすると、中国とは「中華思想」というイデオロギーを作り出さないとそもそもまとまらないバラバラの社会だったのかもしれません。「中華思想」は中国人の中から自然に生まれてきた思想なのではなく、「中国は世界の中心である」という考えをわざわざ作り出さな

**図12「我愛中華！　加油中国！」**

中国は世界の「華」（中心）という自信。個人の誇りや個人の熱い思いが「中華思想」へと昇華。さまざまな分野へ向けられるエネルギー。

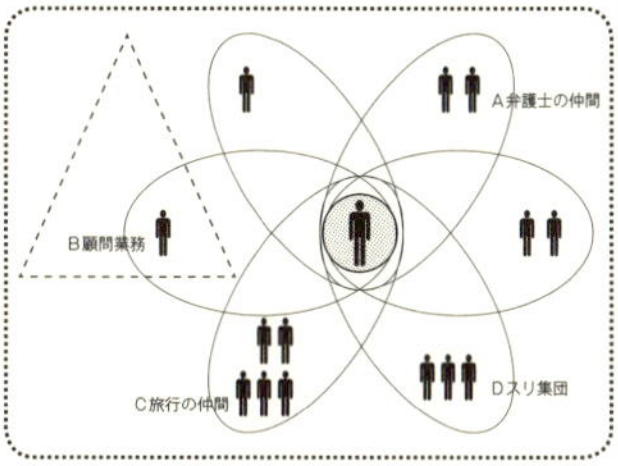


**図13「がんばれ！ニッポン」**

あなたは「愛国心」がありますか？国を思う心を意識するのは、オリンピック、野球、サッカーなど、スポーツイベントのときだけ？

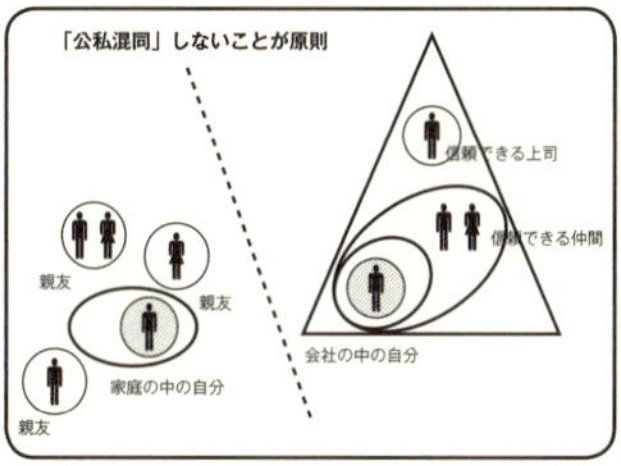


ければまとめることができないほど、中国人を1つにまとめることは難しいことなのかもしれません。

一方、日本はどうでしょうか。「国を愛する気持ち」や「愛国心」という言葉を使うと、すぐに先の戦争を連想させ、プラス思考につながっていかないことがあります。国民が1つになって一致団結して声援を送るのは、オリンピックやワールドカップ、野球やサッカーの試合くらいでしょう。

「がんばれ！ニッポン」はスポーツのときの声援です。誰もがテレビに釘づけになり、惜しみなく日本チームに声援を送ります。しかし、中国の「加油中国《ジアヨウチヨングオ》！　加油中国！」という声援はスポーツイベントだけのものではありません。経済でも産業でも、内需拡大でも輸出促進でも、インフラ建設でも個人消費でも、国を愛する気持ちや中国人としての誇りが大きなエネルギーとなってさまざまな分野へ注がれています。あらゆる分野で「加油中国！」という民衆の声が聞こえてくるのです。「日本や欧米諸国に追いつき追い越せ」「明日はもっといい日になる！」という気持ちがみなぎる中国人の底知れぬパワーを感じます。

# 第3章

## 中国人の仕事観と就業意識

## 転職をあくまでも「スキルアップ」の機会と考える中国人
### 〜3年から5年で転職を繰り返すのは「当たり前」〜

「今度、T社に転職することになりました。これが新しい名刺です。これからはT社との取引をお願いします」と言って陳さん（仮名）が新しい名刺を持って挨拶にきました。今回は東京ビッグサイトで開催されている展示会に出展するための日本出張です。

彼とは中国の展示会で知り合い、ときどき情報交換をさせてもらう間柄です。彼は日本への留学経験があり、現在勤務しているM社では日本業務を任されています。最近は既存のクライアントだけではなく新規顧客の開拓にも積極的に取り組んできました。

新しい名刺を受け取って彼の話を聞いているうちに、「あれっ、ちょっと変だな？」と思いました。転職するのは来月からとのこと。「なんで、まだ入社していない会社の名刺を持っているんだろう？」という素朴な疑問、それから展示会に製品を出展しているのはM社で、今回の出張はM社の仕事です。転職前から「これからはT社との取引をよろしく」という挨拶はや

**図14 転職はスキルアップ**

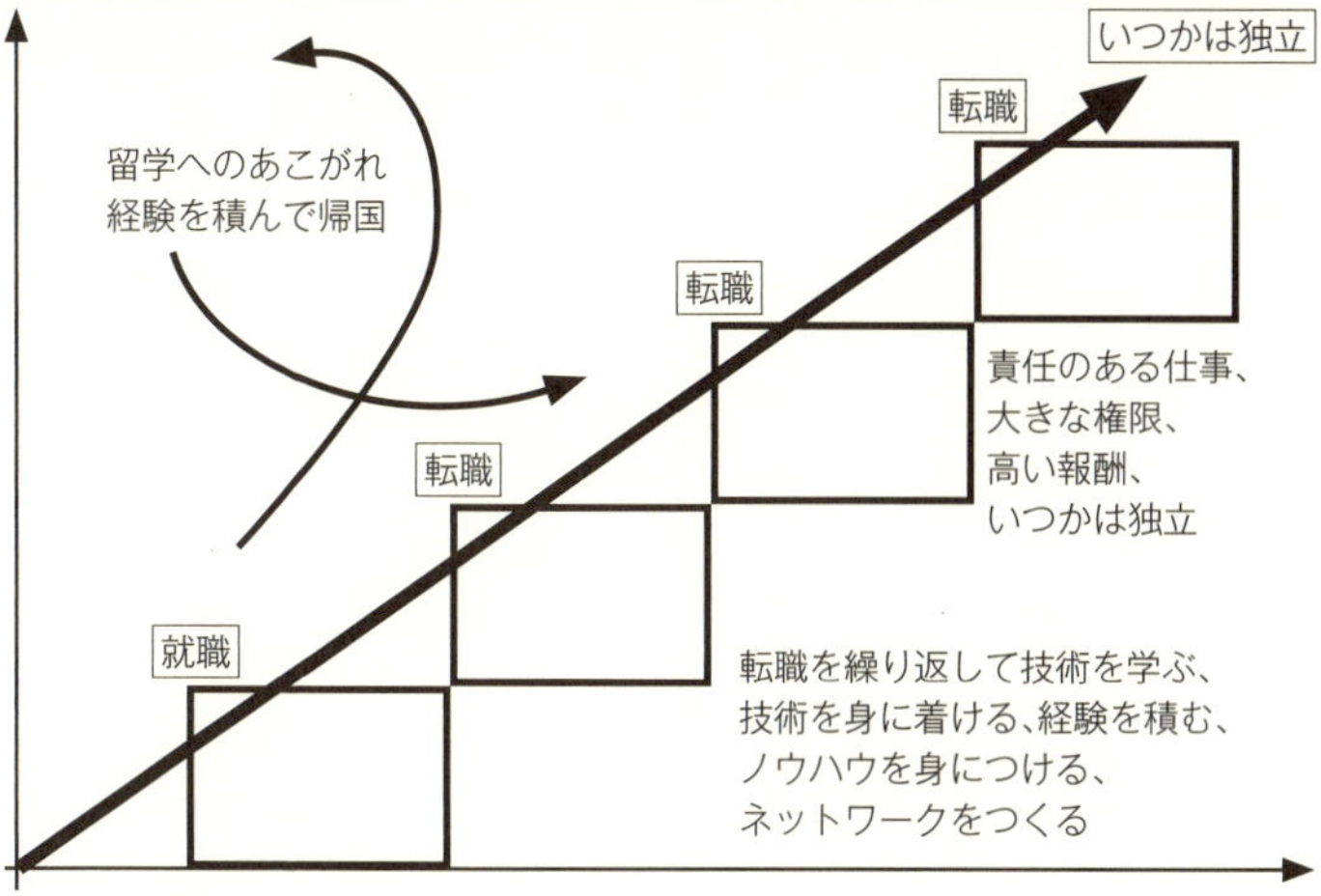


はりおかしいのではないでしょうか。しかも、M社とT社は業界内で熾烈なシェア争いを繰り広げているライバル関係にある企業です。

しかし、こういった出来事は決して珍しいことではありません。中国では転職が大変多く、1つの会社に長く勤めることよりも、自分の能力が発揮できる会社を探して、転職するビジネスマンがたくさんいます。長期安定雇用という考え方は一般的ではありません。

特に、沿海地域の都市部で仕事をしているビジネスマンは、自分のスキルに応じて、より条件（給与）のよい会社へ転職を繰り返します。会社で学んだスキルは次の転職の武器になります。転職をスキルアップの機会と考えて、3年から5年ぐらいで勤めていた会社を辞め、転職することは珍しくありません。

また、中国人は「いつかは自分で会社を起こそう」という独立志向が強く、「誰にも邪魔されずに、自分の力量で、自分がやりたい仕事をしたい」という考え方を持っている人が多いのも特徴の1つです。「大企業で安定的な仕事をするよりも、小さくても自分の会社を設立し、自分の力で自分の理想のビジネスを目指す」という中国人がたくさんいます。

日系現地法人の人事担当者は中国人社員の定着率について、「3年が1つの目安ですね。自分の適性に合わない仕事だと、1カ月~3カ月ぐらいですぐに辞める人もいます」とのコメント。中国で優秀な人材を確保すること、社員を教育していくこと、これらは日本とは違った難しい課題があるようです。

日本では新入社員研修や語学研修、各種の技能や技術を習得するための社内研修から管理職向け研修まで、会社が社員を育てるために一定の投資を行うことは一般的ですが、中国ではこうした「社員を育てる」という研修制度はまだ十分に整備されていません。

むしろ、必要なポジションに必要とされる能力を持っている人材を採用するという考え方が強く、「社員を育てる」という考え方より「即戦力」重視です。新入社員を一括採用して、研修を行って個人の適性を見極め、長い時間をかけて「社員を育てる」という仕組みは日本独特の制度と言えるかもしれません。中国は長期安定雇用を前提に定年まで勤めることが理想とされてきた日本とはだいぶ環境が違うようです。

## 勤続35年、かわいそうなお父さん
### ～転職・独立ができないのは、無能な人の証拠？～

台湾に駐在していたとき、日本から両親を呼んで台湾を案内したことがありました。現地の仲間が日本から来る両親を歓迎して、わざわざ食事会を企画してくれました。20人ぐらいのメンバーが集まり、にぎやかな夕食会になりました。

こういうとき、歓迎される側はまったくと言っていいほどお金を使わせてもらえないのが一般的です。この日の食事会も仲間たちにご馳走になったばかりでなく、両親が台湾に滞在する間、クルマでの移動から観光案内、帰国の日には空港まで送ってもらい、最初から最後まで仲間たちの好意に甘える結果となりました。

食事会が始まり、乾杯の後で私の父が自己紹介をすることになりました。「食事会を設けてくれたお礼に一言挨拶したい」という父の申し出からです。父はこういう席でのスピーチは苦手なほうですが、台湾には初めて来たこと、息子がいつもお世話になっていること、これまでの自分の仕事のことなどをみんなの前で話し始めました。

父は「日本鉱業」の系列の子会社である「日鉱エンジニアリング」という会社でエンジニアをしていました。退職まで現場一筋に働いて、勤続35年間1つの会社を勤め上げたことが唯一の自慢話です。出世して偉くなったわけではありませんが、実家の居間には今でも退職のときにもらった表彰状と記念品が飾ってあります。

父の話が勤続35年のところになったとき、食事会に集まったメンバーがざわめきました。父は得意満面で仕事の話を続け、「退職した今でも『日鉱マン』としての誇りを大切にしている」という話でスピーチを締め括りました。

スピーチが終わって拍手が沸き起こりましたが、しばらくしてある友人が私のところへ来て、私の耳元でささやきました。

「おとうさん、かわいそうですね」

「同じ会社で35年も仕事していたんですね。転職する機会はなかったんですか?」

「私たちには考えられません……」と父に同情しているような表情です。

父にしてみれば、自慢話をしたつもりでしたが、仲間たちにはそう伝わらなかったようです。

ざわめきの理由はこれでした。父には直接話しにくかったのでしょう。「おとうさん、かわいそうですね」と私にこっそり言いに来たわけです。

父に対する仲間たちの評価は「ずっと転職ができなかった可哀想なおとうさん」というものでした。それどころか「転職する機会を逃したか、転職する意欲がなかった向上心のない社員」「独立して会社を起こすことができなかった無能な人」と思った人もいたかもしれません。

日本に帰ってから、父にこの話をすると彼はびっくりした様子でした。彼らの仕事観や就業意識について時間をかけてゆっくり説明しましたが、仕事に対する考え方があまりにも違いすぎるため、父は最後まで眉間に皺を寄せて納得のいかない表情でした。

しかし、食事会の席を設けてくれた仲間たちの暖かい歓迎の気持ちは父の心にも十分に伝わったようです。父は今でもこの旅行での楽しかった思い出を話すことがあります。

## 中国人が企業に求める3つの「スキル」とは

### ～会社ではなく、上司からスキルを学ぶという意識～

中国企業は必要なポジションに必要なスキルを持った人材を採用することが一般的です。社員を長期的にじっくり育てるという取り組みを行っている企業は多くありません。社員に「即戦力」を期待するのが中国の企業の特徴と言えるでしょう。

逆に、採用される側も自分のどんなスキルが会社に売り込めるかが仕事を探すときのポイントになります。少しでもいい仕事を探すため、自分のスキルを自分自身で磨き、ある意味では会社に就職することを新しいスキルを学ぶ機会と捉えます。つまり、転職はキャリアアップの絶好の機会というわけです。

会社に入ってからその会社でどんなスキルが学べるのか、これが仕事を選ぶ基準でもあるわけです。会社の中で自分の能力を如何に発揮できるかだけではなく、自分自身のスキルアップを目標に仕事を選ぶ中国人も少なくありません。こうした貪欲なまでの向上心は見習わなければばならない点もあるのではないでしょうか。

では、彼らにとってスキルとはどのようなものでしょうか。3つに分類して理解しておくとイメージしやすいかと思います。日本人とはちょっと違った感覚もあるようです。

第1は、技術や技能です。資格を取得したり、検定を受けたり、技術を身に付けたり、技能を磨いたり、一定の水準を認定する仕組みがある技術や技能です。英語や日本語などの語学検定、簿記や通関士、工作機械の操作技術、設計や品質検査で用いるアプリケーションソフトの操作技能など、さまざまな分野が含まれます。

会社によっては資格取得や技術認定を支援する取り組みを行う企業も出てきました。中国では優秀な人材を確保するために、やっと会社側も研修制度を取り入れ始めたというのが現状です。

第2に、現場での経験がキャリアに繋がる専門職としてのノウハウです。工場であれば品質管理、資材調達、在庫管理、設計など専門職としてのノウハウ。ホワイトカラーであれば営業、マーケティング、人事労務、会計業務など、現場の実践の中から身に付けるノウハウと言えるでしょう。

第3に、ネットワークです。中国ビジネスで最も重要なポイントはこのネットワーク力です。ビジネスで知り合った人とのつながり、取り引き先との人間関係、上司と部下の関係など、中国人は人と人とのつながりを大変重要視します。ネットワーク力こそが中国ビジネスの基本とも言えるでしょう。

会社に在籍することで、どんな人と知り合えるか、自分のネットワークをどう広げるか、こうした点もキャリアの1つと考えるのが中国人ビジネスマンの特徴です。

さらに、もう一言付け加えたいポイントがあります。これらの3つの点を「会社」から学ぶのではなく、中国人は自分が所属している部署の「上司」から学ぼうという意識が強いようです。「上司」から何が学べるか、何が盗めるか、学ぶべきノウハウやネットワークを持っている「上司」かどうかがポイントになります。つまり、「会社」から学ぶのではなく、自分が所属する部署の「上司」が重要なのです。

「会社」ではなく「上司」から学ぶ。この点も人と人との関係を重視する中国人の考え方を垣間見ることができます。魅力的な「上司」がいない場合、彼はすぐにその会社を辞めてしまうでしょう。また、「上司」からもう学ぶべきものがないと判断すれば、彼はそろそろ転職を考え始めるかもしれません。

## 業務の「引き継ぎ」は行われない
### ～担当者が代われば、取引条件も変わってくる?～

社員の転職が多い中国企業と取引をする場合、日本企業が特に注意しなければならない点が業務の「引き継ぎ」の問題です。「中国側の取引先の担当者が代わってしまった」「担当者が突然会社を辞めてしまった」といったケースに遭遇した経験がある方もいらっしゃるのではないでしょうか。

担当者が代わる場合、日本的な常識であれば、退職の挨拶があり、新しい担当者の紹介があり、業務の引き継ぎについての説明があり、「今後とも引き続きよろしくお願いします」という引き継ぎが会社として行われるはずです。業務の「引き継ぎ」が行われることは、当然のことです。

しかし、中国企業では辞めていく人から後任者へ、業務の「引き継ぎ」が十分に行われないということがよくあります。「引き継ぎ」どころか、メールの連絡さえないまま担当者が代わるケースや退職の挨拶もなく突然担当者が辞めてしまうというケースもあります。中には、後任者すら決まっていないこともあります。

これは取引先である中国企業側の問題ですが、中国企業と取引をする場合は日本企業側から注意を払わなければならないポイントの1つです。この注意を怠ると、結果的に日本側にとっても不利益な影響を受けることになります。

日本企業では業務の「引き継ぎ」が行われるのが当たり前です。現状の業務に支障をきたさないように、取引先に迷惑がかからないように、速やかに社内で後任者が人選されて業務の「引き継ぎ」を行うことが当たり前です。

しかし、中国ではこの「当たり前」がそうではないケースがしばしば起こります。前任者が辞めてしまった後、新しい担当者が決まるまでプロジェクトがストップしてしまったり、新しい担当者が決まっても業務の「引き継ぎ」がなかったり、新しい担当者が具体的な仕事の内容をまったく把握していないというケースもあります。

その場合、日本側のほうからこれまでの経緯を説明しなければならなかったり、新しい担当者との関係をゼロから再構築しなければならなかったり、日本的な常識では考えられないようなフォローをしなければならないことがあります。

時には、新しい担当者が前任者とはまったく違う取引条件を持ちかけてくることもあります。

会社としての一貫性に欠ける行為です。こうした事態は日本企業同士の取引であれば、起こり得ない事態です。日本企業間の取引であれば、「引き継ぎ」が行われることは「当たり前」のことであり、取引先の内部の事情まで心配することは不要だからです。

しかし、中国企業との取引の場合、このような中国側の事情も考えておかなければならない場合があります。担当者が辞めるときは「業務の引き継ぎは行われない」という心の準備をして、中国企業との取引を考えたほうが無難です。

## 業務上知り得た情報、培ったネットワークは自分のもの

### ～雇用時に契約で義務と責任を罰則条項付きで定める～

辞めていく社員と後任者との間で業務の引き継ぎがないというのは、日本では考えられないことです。しかし、中国ではこのような事態がしばしば起こります。では、このような事態を防ぐためにはどうしたらよいのでしょうか。

会社を辞めるときの責任と義務を、雇用契約の時点から予め定めておく方法が考えられます。日系の現地法人でも、多くの企業がこの方法を取り入れています。「退職時の引き継ぎ」に関して特別項目を作り、後任者への引き継ぎ内容を詳細に定めておくとよいかと思います。項目は詳しければ詳しいほど有効です。引き継ぎが行われない場合、取引先との業務に支障が生じる可能性がある内容を予めチェックし、それを先回りして引き継ぎ項目に入れておきます。

もちろん社員には長く継続して仕事をしてもらうことが前提です。しかし、こうした項目を入社時に交わす雇用契約上に明記し、雇用する時点から会社を辞めるときに果たさなければな

らない義務と責任を明確にしておくのです。

できれば、「罰則条項」も明記しておくとよいでしょう。「義務と責任を果たしたことが確認できるまで退職金の支払いを凍結する」とか、「義務と責任が果たされなかった場合、退職金を減額する」といった内容です。こうした内容も雇用時の契約内容に明記しておきます。

会社を辞めるとき、「退職届」の提出義務と提出時期の規定、業務上知り得た内容の守秘義務、顧客データや個人データの持ち出しの規制などを、雇用契約書上に明記したり、就業規則で定めたりしている企業は多いようですが、形式的になって実際には守られていないケースもあります。

こうした内容についても「罰則条項」を設けて規定しておくことが極めて重要です。雇用は企業側と社員との契約ですから、守るべきこと、守らせるべきことははっきりと明記しておくべきです。会社の危機管理という視点からも、雇用契約や就業規則に「罰則条項」を加えておくべきです。

中国では業務上知り得た情報であっても、「個人が収集したものは個人のもの」という考え方が強く、顧客データや個人データを持ち出してしまうということが頻繁に起こります。同時にほとんどの中国人は業務上で培った人間関係（ネットワーク）は個人に帰するものと考えます。

中国人にとって就職とは、自分のスキルを会社に売り込むことです。言い換えると、自分の能力を会社に買ってもらうという感覚が強いため、情報や人脈も自分のスキルの一部と考えるわけです。情報や人脈は個人の所有物という考えは、中国人ビジネスマンにとって何の疑いもない「当たり前」のことなのです。

日本企業が中国人を雇う場合、このような点に注意しないと最初からボタンの掛け違いになります。事実を把握して、違いを明確に認識した上で、お互いにとってのメリットとデメリットを考えるべきでしょう。情報の個人所有をどこまで認めるか、会社としてどのように情報の管理に取り組むべきか、基本的な会社の姿勢が問われる問題でもあります。

## 「引き継ぎ」のトラブルを避けるための3つのチェックポイント
### ～業務を代行できる「バックアップ」の人材を常に考える～

引き継ぎの問題は、相手が日本企業であれば特に配慮が必要なことではありません。日本企業同士であれば起こり得ないことです。しかし、中国企業との取引では配慮が必要なポイントとなります。しかし、問題が中国企業の内部の事情のため、日本側から有効な解決策を講じることは難しいのが現実です。ここでは、予防的な措置として、どんな点に気をつけたらよいかを考えてみたいと思います。

第1に、中国企業との取引の場合、担当者が会社を辞める可能性もあるということを予め想定して、彼のバックアップを考えておくという方法です。中国人スタッフは誰でもいつかは転職する可能性があると思っていたほうがよさそうです。もし、彼がいなくなったら、彼の代わりに誰が業務の担当窓口になってくれるかを常に意識しておきます。同じ部署内にどんなスタッフがいるか、業務の代行ができるスタッフがいるかどうかなど、チェックしておくとよいと思います。

次に、担当者と経営者との関係をある程度チェックしておくことも重要なポイントです。こうした点も日本企業間の取引であれば、特に注意を払う必要のないポイントです。しかし、中国企業との取引の場合、担当者と経営者の間にどのくらいの信頼関係があるのか、しっかりモニターしておくことが必要です。実はこれはそれほど難しいことではありません。

担当者の入社の経緯を確認すれば、ある程度は見えてきます。たとえば、経営者がヘッドハンティングされてきたようなケース、人材派遣会社を通して入社したようなケースでは、比較的容易にこの会社を辞めてしまう可能性もあると言えるでしょう。逆になかなか辞めないのは、経営者の家族の一員であったり、親族の紹介で入社したといったケースです。

そして3つ目は、経営者自身の考え方やビジネスの進め方をモニターしておくことです。どのように人を使う人物なのか、人を育てるタイプなのか、必要な人材を外部からどんどん受け入れるタイプなのか、会社の経営方針や彼の経営ポリシーなどもチェックしておくことが必要です。

以上、解決策のヒントとして、ぜひ参考にしてください。中でもバックアップを考えておく方法が比較的有効です。部署内をモニターして、それぞれのスタッフの担当分野や権限と責任、部署内の人間関係などを可能な範囲でウォッチしておくとよいと思います。

「バックアップになり得るのは補佐役の林さんか、業務に詳しい郭さんか、直属の部下の謝さんか……」「部署内の人間関係はどうか」、日本側から意識してみていると実はけっこういろいろな点が見えてくるものです。そして誰がバックアップになり得るか、具体的なイメージを持っておくことが大切です。

しかし、このバックアップとして期待していた人も陳さんと一緒に転職してしまうというケースも起こり得ることです。部署内のスタッフ全員を引き連れて独立をしてしまうというケースもあります。そうなったらもうお手上げですが……。

## 中国企業に多いトップダウン型の「ブドウの房型組織」
### ～「即戦力」となる人材が求められる理由とその背景～

中国の組織を理解するためのキーワードは、「ブドウの房型組織」です。1つの房にブドウの「実」が実っているイメージです。ブドウの「房」を束ねているのが総経理です。「実」の1つひとつが業務の担当マネジャーと考えてください。

つまり、1人ひとりのマネジャーは1つの「房」につながっています。総経理に直結する形でつながっています。総経理はマネジャーには大きな権限と責任を与え、一般的には、指示や報告のやり取りも総経理と直接行われる形で仕事が進みます。トップダウン型の組織です。

日本企業ではそれぞれの部署ごとに階層的な組織になっていて、1つのプロジェクトに対する責任も階層的に責任を分担する形が取られます。1人の社員に権限と責任が集中することを避けるためです。

つまり、業務を進めていく上で、組織全体の意識の統一、組織内の調整や協調といった点が

**図 15　ぶどうの房型組織**

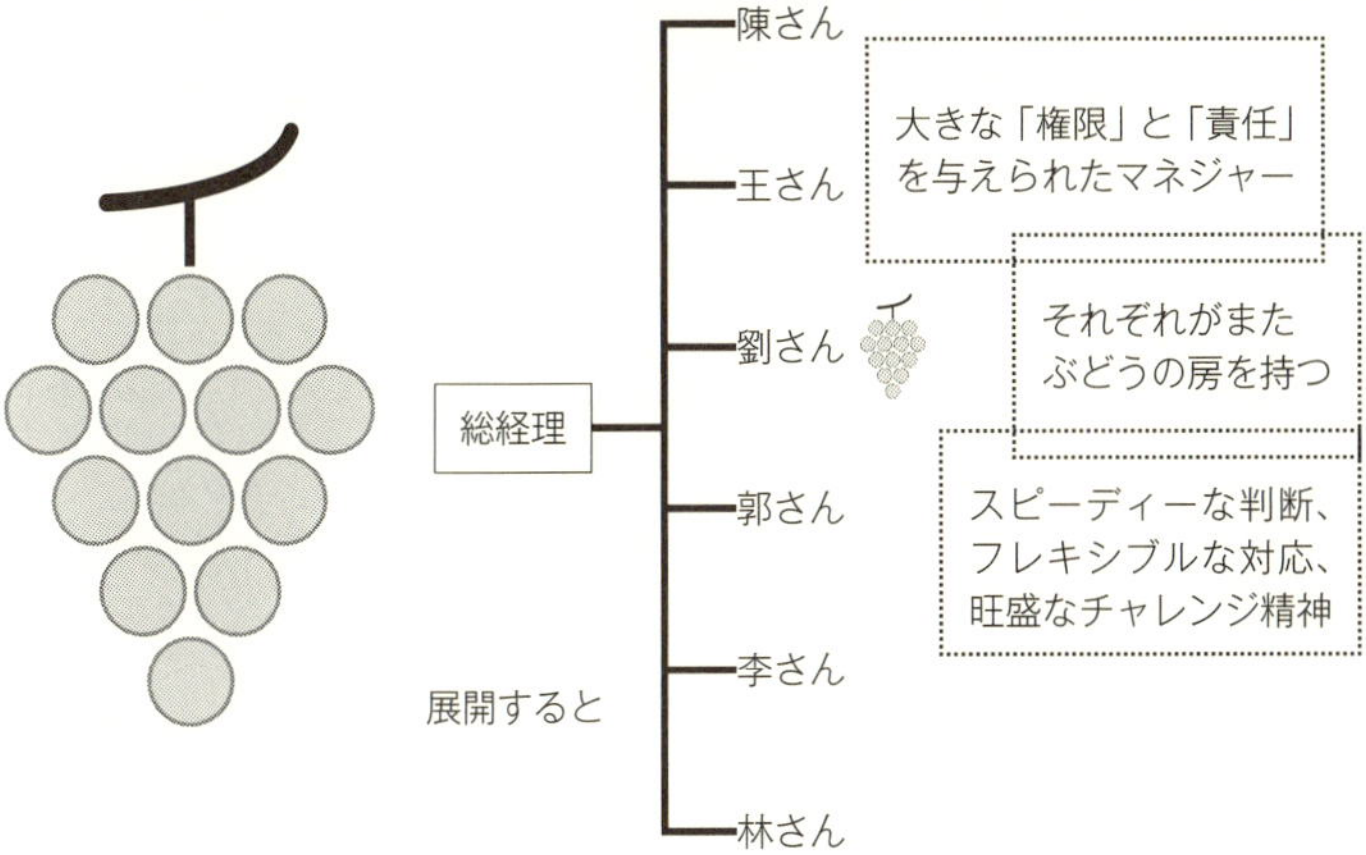


重視されます。組織全体の力を発揮するために、社内稟議や組織内での根回しを経て、組織として目標を共有し、社員全員が一丸となって目標に向かって取り組む姿勢が求められる点が日本型組織の特徴ではないでしょうか。

しかし、中国の組織の場合、1人ひとりのマネジャーに権限と責任が大きく与えられるケースが多く、また、このマネジャーも自分のチームを1つのブドウの「房」として、チーム内のメンバーにもそれぞれ権限と責任を与えて、全体のプロジェクト全体を管理します。

日本企業の場合、成果が上がったらその利益は社員に平等に分配されることが原則でしょう。1人の社員がいくら大きな貢献をしたからといって、他の社員と比べて5倍、10倍ものボーナスを出すということはあり得ません。企業内で業務評価の基準やボーナス査定の基準が決められているはずです。

逆に、トラブルがあった場合でも、1人の社員がその責任をすべて取らされるということはありません。チーム全体の問題として、または組織全体として連帯責任を負っていく形になります。犯罪や背任行為など会社に大きな損害を与えるケースがなければ、社員が企業に解雇されることはありません。

一方、中国企業の場合は、権限を与えられたマネジャーが大きな責任を負うことになります。マネジャーのスキル、ノウハウ、これまでの経験など、彼の実力が大きく問われることになります。社員全員がお互いに協力し合い、組織として1人のミスを補い合いながら仕事を進めるという環境ではないのです。

中国企業は、こうした環境の中で社員を採用するときには「即戦力」となる社員の採用を重視します。権限と責任を与え、会社のために一定の貢献をしてくれる「即戦力」となる人材を重視するわけです。時間をかけてゆっくりと社員を育てるという姿勢は希薄です。

## 人の入れ替え、新陳代謝が激しい組織
### ～スピーディーかつダイナミックな動きが中国企業の活力～

たとえば、ここに６つのプロジェクトがあるとしましょう。激変するビジネス環境の中で、わが社は今後どの道に進むべきか、会社の方向性を占う新しいプロジェクトです。事業規模の大小や業務経験の有無に関わらず、生き残りのためには何か新しい取り組みが求められています。

こんなとき、日本企業であれば、１つひとつのプロジェクトを吟味し、社内で十分な協議を重ねた上で、取り組むべきプロジェクトを決めていくのではないでしょうか。社内稟議、社内的な根回し、関係部署間での調整が行われるはずです。

最終的に最も大きな可能性が期待できるプロジェクトが選ばれ、会社の資産（ヒト、モノ、カネ）がそのプロジェクトに投入されます。組織を全体で目標を共有し、「選択と集中」によって全社一丸となった取り組みが行われるわけです。

しかし、プロジェクトの選択、社内稟議や目標の共有に時間がかかるというマイナス面もあります。プロジェクトをスタートさせることも、さらに一度スタートさせたプロジェクトを軌道修正することも、時間がかかり過ぎることが日本企業の欠点ではないでしょうか。複数のプロジェクトの中から優先順位を決めることにも時間がかかります。スピーディーな動きができないこと、これは中国ビジネスでは大きなウィークポイントになります。

一方、中国ではマネジャーに大きな権限と責任が与えられているため、このプロセスが比較的スピーディーに進みます。総経理側がプロジェクトごとにマネジャーを指名します。マネジャー側が自分から手を挙げてプロジェクトを引き受けるケース、優秀な人材を外部からヘッドハンティングしてくるケースもあるでしょう。

また、プロジェクトを無理に1つに絞り込もうとしないで、「マネジャーを指名してチャレンジさせてみる」「可能性があるプロジェクトはすべて走らせてみる」といった姿勢が基本です。「選択と集中」という形でプロジェクトを絞り込むのではなく、意欲がある人材にチャンスを与え、人材が足りない場合は外からどんどん優秀な人材を採用します。

また、中国企業はプロジェクトに調整や修正が必要な場合も、その場その場でフレキシブルに見直しを加えていきます。修正すべきこと、手当てすべきことを臨機応変に判断し、すばやい決断で対応していくことが、ビジネスのチャンスをすばやく捉えて企業の利益に結びつける

**図16　6つのプロジェクトがあったら？**

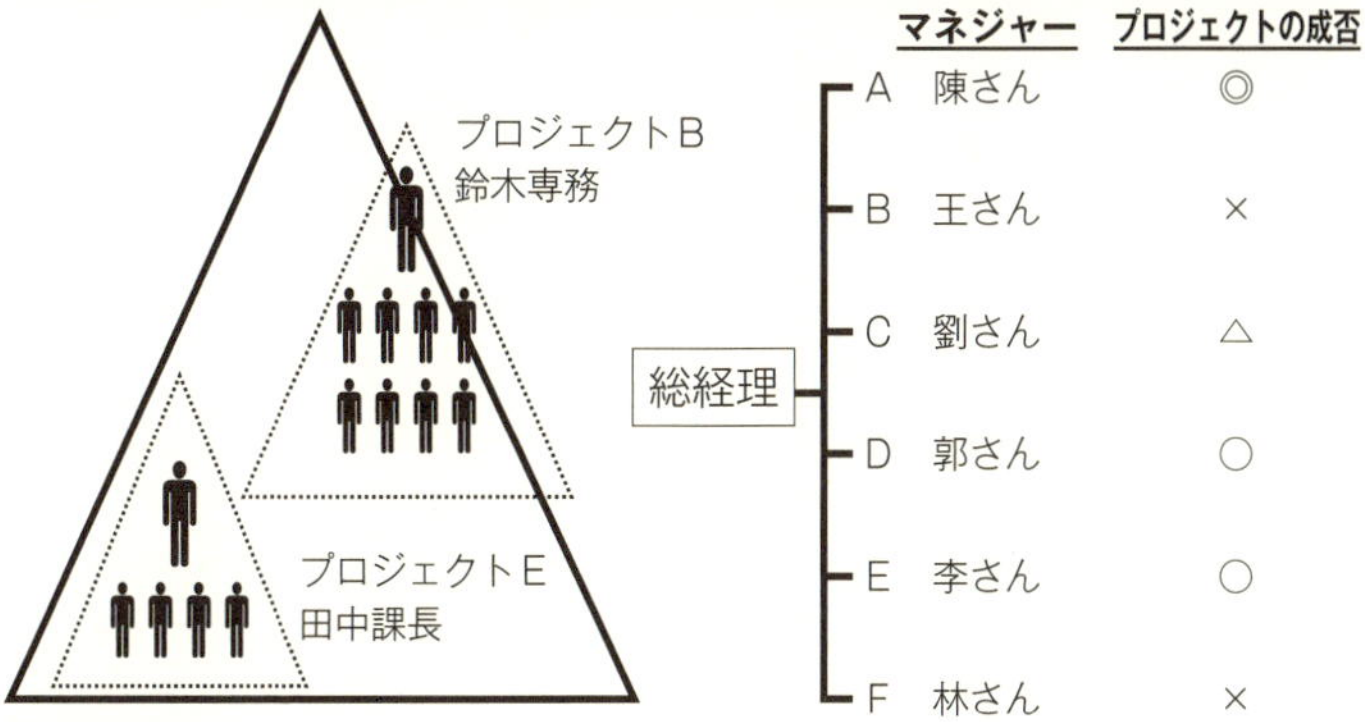

|  | マネジャー | プロジェクトの成否 |
|---|---|---|
| A | 陳さん | ◎ |
| B | 王さん | × |
| C | 劉さん | △ |
| D | 郭さん | ○ |
| E | 李さん | ○ |
| F | 林さん | × |

「選択と集中」
組織力で取り組むプロジェクト
田中課長を中心に新規プロジェクトB
社運をかけたプロジェクトE

プロジェクトが失敗すると
辞めていく社員も。
新陳代謝が激しい組織

最も有効な方法だと考えているからです。

しかし、すべてのプロジェクトが成功するとは限りません。むしろ、予想通りには進まないケースのほうが多いはずです。担当マネジャーのスキル不足、人材不足、予測の読み違い、会社としての戦略ミス、またはビジネスにはタイミングと勢いも重要です。「選択と集中」へのプロセスが省略されているだけに、失敗するプロジェクトも少なくないはずです。

このようなケースの場合、担当マネジャーが責任を取ることになります。大きな権限を与えられているだけに、重い責任を果たさなければなりません。自らの責任を取って会社を辞めるケースも少なくないわけです。もちろん、会社側から引導を渡されるケースもあるでしょう。

では、日本企業の場合はどうでしょうか？

少なくともプロジェクトの責任者がその責任を取らされて会社をクビになることはないでしょう。会社内で人事的な調整があり、別の部署に配置換えになるか、何かしら他に活躍できる場が宛がわれるはずです。担当者の降格、減俸といったこともよほどのことがない限りないはずです。

たとえば、そのプロジェクトが社運を賭けた一大プロジェクトだったとしましょう。専務取締役が陣頭指揮をとってプロジェクトを推進していました。仮にこのプロジェクトが失敗した場合、その失敗が原因でこの専務が会社をクビになることはあるでしょうか。恐らくないはずです。「本社の社長の椅子はなくなったかな」「定年まで出向で子会社の社長のポスト」「他のプロジェクトメンバーもそれぞれ配置換え」といったような人事的な調整が内部で行われ、責任を取らされてクビになる社員はいないはずです。

一方、中国では人材がもっとダイナミックに動きます。辞める人間がいて、また新人が採用され、人材の入れ替えが組織の活性化の要因の1つになっているとも言えるでしょう。ある意味ではこうしたこの新陳代謝のよさが中国企業の活力になっていると言うこともできます。

中国でも優秀な人材を確保するためには、社員の教育が必要であることに目を向け始めた企業が増えています。「社員を育てる」ことの重要性に気づき、「人材教育」に取り組む企業が増えつつあります。少しずつではありますが、中国人経営者や中国人ビジネスマンの意識改革が進みつつあります。

しかし、人材の育成には長い時間がかかります。企業の体質改善や企業文化の構築にはまだ相当の時間を要するでしょう。日本企業が中国ビジネスを進めて行く場合、もうしばらくは担当者間の引き継ぎがない組織、人の入れ替えが激しい組織と付き合っていかなければならないかもしれません。「ブドウの房型組織」はまだ当分の間は続くと心得ておいたほうがよさそうです。

## 中国企業の「強さ」、3つのキーワード
### ～「スピード」「フレキシブルさ」「チャレンジ精神」～

日本企業と比較した場合、中国企業の「強さ」はさまざまな要因が考えられます。意思決定の速い組織、ダイナミックな人材活用の方法、フレキシブルなビジネスの進め方、現場主義を重視する経営者など、ポイントを整理しながらそれぞれの分野で日本企業との比較を試みてみると、みなさん自身も比較的容易にその違いを見つけ出すことができるのではないでしょうか。

ここでは、中国企業の「強さ」を理解するために、次の3つのキーワードを挙げて考えてみたいと思います。ビジネスを進めていく上で彼らが重視するポイントは、まず「スピード」、次に「フレキシブルさ」、そして「チャレンジ精神」の3つです。

「スピード」とは、意思決定の速さと言い換えることができるかと思います。日本企業の場合、情報収集と同時にリスクを査定し、そのリスクを避けて最善の方法を模索するために十分に時間とエネルギーをかけてプロジェクト推進の是非を検討します。方針決定までには意識の共有

や社内での根回しが必要で、最終的には十分な稟議を重ねた上で意思決定がなされるという時間をかけたプロセスが必要となります。

これでは迅速な意思決定は望むべくもありません。社内稟議が回っている間にもビジネス環境はどんどん変化していきます。日本企業が本格的にプロジェクトに乗り出すころには、先行している中国企業や台湾企業がすでに市場を押さえているのです。「スピードの遅さが命取り」と言えるでしょう。

一方、中国企業はすばやい情報の収集、すばやい現状の把握と分析でスピーディに意思決定を行う仕組みができています。経営者自らが自分の足で、自分の目で集めた生きた情報を常にアップデートし、その集めた情報をすばやく分析して迅速な意思決定に役立てます。現場主義に徹したこの姿勢がスピーディーな意思決定を可能にしているのでしょう。

２つ目のポイントは「フレキシブルさ」です。日本企業はビジネスを始める前にリスクをできるだけ取り除こうとします。リスクを少しでも回避し、安全策を模索します。しかし、リスクを心配していては何も始めることはできません。「とにかく始めてみる」「調整や修正は現場で臨機応変に対応する」というのが「中国流」です。

中国企業は一度スタートさせたプロジェクトでも現場での調整や軌道修正をどんどん加えていきます。日本の場合、一度始めてしまうとプロジェクトを中止させることには大きなエネルギーが必要です。判断の遅れにより小さな傷口がどんどん大きく広がって、最終的には致命傷となる事態を自ら招いてしまうことがあります。

一方、中国企業ではスピーディーでフレキシブルな対応により、調整も軌道修正も、プロジェクトの撤退も、その場の状況に合わせてすばやい意思決定が行われるのが「強み」と言えるでしょう。このようなフレキシブルな経営判断を実現しているのが中国人の「現場主義」です。「ビジネスは常に現場から陣頭指揮」というのが彼らの基本原則なのです。

3つ目のキーワードは「チャレンジ精神」です。中国企業はビジネスチャンスをすばやく捉えて、多少のリスクがあっても果敢に新しいビジネスに挑戦する「チャレンジ精神」を持っています。「リスクを恐れずとにかくやってみる」「挑戦してみて、問題が起こったら現場調整」というのが「中国流」の考え方です。リスクを避けるために、まずはリスクをリストアップし、そのリスクを慎重に1つひとつつぶしていく日本企業とは正反対の動きです。

「危機」という言葉があります。「経済危機」「危機管理」というような表現で使う言葉です。中国語でも同じ「危機《ウエイジー》」という言い方をします。しかし、中国人はこの「危機」を1つの単語ではなく、「危険《ウエイシエン》」と「機会《ジーホエイ》」という2つの単語に分解して意味を考えます。つまり、「危機」とは「危険」（リスク）と「機会」（ビジネスチャンス）とが隣り合わせにある状態のことなのです。「ビジネスチャンスを得るためにはある程度のリスクも覚悟すべき」、言い換えれば

「リスクがあるところには必ずビジネスチャンスも存在する」という捉え方をします。

物事を見るスタンスによって見方を変えるのが中国人です。「危機」をビジネスチャンスと捉える中国人の考え方は私たちにも学ぶべきものがあるのではないでしょうか。物事をポジティブに捉え、持ち前のスピード、フレキシブルさ、チャレンジ精神で、リスクを乗り越え、ビジネスチャンスを手中にしていくのが中国人です。

## 中国人とのビジネスは「個人対個人」が基本
### ～力のあるキーパーソンを見つけることが極めて重要～

日本人はビジネスの基本は「会社対会社」と考えます。この点に関して日本人は何の疑いもなくそう思っていることでしょう。これは日本的な常識からすれば「当たり前」のことです。ビジネスは「会社対会社」で進められるべきもので、組織人としての自分とプライベートな立場での自分とは区別されるべきものです。それを「常識」と考えます。

しかし、中国人は必ずしもそうではないようです。ビジネスでは「会社対会社」の関係より、「個人対個人」の関係を重視する傾向にあります。人と人とのつながりがビジネスを動かす原動力と考えるのです。中国ビジネスに携わっていると、そういう見方をしたほうが納得できる事柄がたくさんあることを気づかされます。ビジネスは「人対人」の関係が基本なのです。

日本人が自己紹介をするとき、「はじめまして、〇〇商事、営業部の鈴木と申します」というように、まずは会社名から名乗ります。次に所属先、それから自分の名前を名乗ります。初対面の挨拶から組織の一員であるということを強く意識してビジネスに臨むのが日本人です。

一方、中国人は個人と個人の人間関係を重視します。陳さんが知りたいのは、「○○商事」の鈴木さんではなく、初めて会う「鈴木さん自身」なのです。陳さんにとって「○○商事」でも「××物産」でもあまり関係ありません。会社は鈴木さんが現在たまたま所属している組織にすぎません。その程度の見方をしているはずです。

しかし、日本人はどうしてもビジネスを「会社対会社」を基本に考えてしまう傾向があります。「会社対会社」という既存の概念を切り崩して、ビジネスは「人対人」が基本であるという自分自身の意識の切り換えが必要です。この出発点からボタンの掛け違いがあると、中国ビジネスの本質がなかなか見えてきません。

逆に、ビジネスの基本は「人対人」に気持ちを切り換えることによって、これまで日本人にはなかなか理解しにくかった事柄が、まるで霧が晴れて視界が開けてくるように見えてくるはずです。中国ビジネスの基本は「会社対会社」ではなく、「人と人とのつながり」が基本なのです。

ですから、中国ビジネスでは先方のキーパーソンを如何に見つけ出すかということが極めて重要なことです。ビジネスは人と人とのつながりですから、力のある担当者とやり取りができるビジネスがどんどん進みます。

逆に、力のない担当者が窓口だとビジネスが思うように進まないことがあります。窓口が悪いとビジネスがまったく進まないということもあり得る話です。ここが中国ビジネスの面白いところでもあり、難しいところでもあると言えるでしょう。

## 「個人」は「会社」を代表していない
### ～重要案件は会社の責任者にも直接意思の確認をする～

中国ビジネスは人と人とのつながりが基本です。しかし、時にはこんな問題も起こります。

佐藤さん（仮名）は中国企業の陳さん（仮名）を窓口にしてビジネスを進めていましたが、担当窓口である陳さんの判断と会社の責任者である総経理の考えとが一致しないのです。陳さんが「わかりました。大丈夫です」と約束してくれたことが、実は会社の方針ではなかったのです。

中国企業との取引では個人の判断が会社の方針と一致しないということがしばしば発生します。「個人は会社を代表していない」というケースです。陳さんの発言がそのまま会社の意向であるかどうか、実はそうではないケースもあるのです。

確かに中国の企業はマネジャークラスのスタッフに大きな権限が与えられています。マネジャーは自分の権限と責任でどんどんビジネスを進めていきます。日本の組織のように社内稟議や内部での調整で意識の共有が行われるのではなく、マネジャーの裁量に判断が任されています。

しかし、このマネジャーと経営の責任者である総経理の考えが必ず一致しているかというと、実はそうではないケースもあるようです。万一、二人の考えが一致していない場合、必然的に総経理の考えが会社を代表していることになります。

担当窓口である陳さんは、果たして会社を代表して言っていることなのかどうか、陳さんの発言が会社としての方針なのか、責任者である総経理も陳さんの判断に同意しているかどうか、念のため責任者に直接確認しておく必要があります。重要な案件であればあるほど注意が必要です。

もし、陳さんの考えが会社の方針と一致していなかった場合、「陳さんはこう約束してくれた」と総経理に直訴しても、無駄な努力で終わります。総経理から見ると陳さんという「個人」は「会社を代表していない」のです。

「それは陳さんが言ったことですから、会社の方針ではありません」という一言で、片づけられてしまいます。日本側が何を言ってもその主張は通らないでしょう。「総経理は会社の長として社員の発言に責任を持つべき」という考えは中国企業には通用しないことがあります。

繰り返しますが、中国企業との取引では、個人の判断が会社の方針と必ずしも一致しないということが起こります。日本企業にとって、この点は注意しなければならないポイントです。重要な案件はできるだけ会社の責任者と直接やり取りで現場とのずれがないかどうか、必要に応じて確認をしながらビジネスを進めるべきでしょう。

こうした問題は日本企業同士の取引ならまったく考慮する必要がないことです。日本では会社対会社が基本であり、社員の発言に対しても会社が全面的に責任を負います。しかし、中国企業と取引をする場合、このような点にも注意を払う必要があります。

## ニューロンネットワーク、ビジネスは「人」つながり
### ～「会社」の枠を取り払えば、無限の可能性が見えてくる～

中国人は人と人とのつながりを大変大切にします。ビジネスは個人と個人の人間関係が基本となって進められるといっても過言ではないでしょう。会社と会社の関係ではなく、人と人とのつながりでビジネスが進み、広がっていくのです。

初めて会う中国人は「まずはいい友だちになろう」という姿勢で接してきます。「仕事があるから友だちになる」のではなく、「友だちになって仕事を考えよう」という考え方をするのが中国人です。まずはお互いの信頼関係を構築して、そこから一緒にビジネスを生み出していこうというスタンスです。人と人との信頼関係の構築が先なのです。

中国人は人と人とのつながりを基本にしたネットワークでビジネスをします。このネットワーク力こそがビジネスの原動力になり、中国人が最も大切にする個人の貴重な財産でもあります。どんな人脈をどのくらい持っているか、ネットワーク力がその人の価値を決める指標に

なると言っても過言ではなりません。

みなさん、脳細胞のニューロンをイメージしてください。中国人のネットワークはこのニューロンに似ています。いくつもの触手が伸び、その触手の1つひとつが手をつなぐように結びついています。中国人はこのニューロン型のネットワークを張り巡らせてビジネスをします。ネットワークを広げて、お互いに深く関わりながら信頼関係を築き、より大きなネットワークを形成していくのです。

いかに柔軟に、かつ広い範囲にたくさんの触手を伸ばしてネットワークを築くことができるか、こうしたネットワークは個人の財産になります。会社を辞めても、仕事が変わっても、個人で培ってきたネットワーク力は変わりません。「ネットワーク力は個人財産」と考えるのが中国人です。

これからみなさんの前にはいろいろな中国人が現れるでしょう。いい人も悪い人もいます。本当に信頼できる中国人も、最初から「日本人を騙してやろう」と考えている中国人も、さまざまな中国人がみなさんの前に現れます。

そんな中で日本のみなさんにぜひ実践してみていただきたいことがあります。まずはみなさん自身の中にあるビジネスは「会社対会社」が基本という枠を取り払ってみてください。会社という垣根を飛び越えて、ビジネスは「人と人とのつながり」と考えて、みなさんの前に現れる中国人に接してみてください。これまでと違ったネットワークの広がりが見えてくるはずです。

みなさん自身が手をつないでいる相手のまたその先にもネットワークの広がりがあり、みなさんが知らないところにもいろいろな可能性が待っているのです。まだ知らない無数の人脈が広がっていると考えると、何かワクワクしてきませんか。自分のネットワークをフルに提供し、相手のネットワークもフルに活用する。個人と個人の信頼関係がビジネスの出発点。これが中国ビジネスの基本です。

# 第4章

## 中国人ビジネスマンを理解する

## 雇用契約を1年ごとに見直すのは「当たり前」
### ～雇う方も雇われる方も、役割と報酬を強く意識する～

筆者はビジネスマンを対象に中国ビジネスに関するスキルを学ぶ研修を行っています。中国人の価値観や中国人ビジネスマンの仕事観、ビジネスの進め方など理解し、彼らとどのように付き合っていったらいいか、どのように人間関係を構築していったらいいかを学ぶための研修です（巻末広告参照）。

この研修の中で受講生のみなさんに必ずする質問があります。それは「あなたの雇用契約書は今どこに置いてありますか？」という質問です。読者のみなさんはいかがでしょうか？ 自営業の方や今は独立してビジネスをしている方なら「雇用契約書」はないかもしれません。しかし、サラリーマンのみなさんなら必ず「雇用契約」を交わしているはずです。今、みなさんの「雇用契約書」はどこに保管してありますか？ 自宅に大切に保管してありますか？ それとも会社の引き出しの中に無造作にしまったままでしょうか？ それとも会社の人事部に預けてありますか？

外資系企業に勤務している方ならすぐに答えられるかもしれません。毎年契約内容をチェックし、更新しているという方も多いでしょう。しかし、日本企業に勤めている一般的なサラリーマンのみなさんで、この質問に即答できる人がどれだけいるでしょうか。

研修で受講生に同じ質問をしてみると、ほとんどの人がその場で考え込んでしまいます。「どこに置いたかな？」「記憶にないな」という方がほとんどです。「そもそも雇用契約書ってあったっけ？」「そういえば入社したとき（十数年前）、何か書類にサインしたような気がするけれど……」という人さえいます。

会社には「就業規則」があります。部署や配置が変わるときには「辞令」があります。しかし、「雇用契約書」はほとんどのみなさんの意識の中にないようです。「雇用契約書」がないはずはないのですが、意識していない日本人がほとんどです。これが日本企業の実態ではないでしょうか。

新卒採用の方も転職組の方も会社に入社するときには必ず会社との間に雇用契約を結び、「雇用契約書」にサインしたはずです。しかし、長期安定雇用が基本である日本では、一度雇用契約を結ぶと、それが自動的に継続され、よほどのことがなければ雇用契約は破棄されません。

会社側は「辞めさせないから、辞めないで」という姿勢。雇われる側も「辞めないから、辞めさせないで」というふうに、暗黙の了解のうちに雇用契約が自動的に何年も続いてしまう大変不思議な国が日本なのです。一度交わした雇用契約は、その後「雇用契約書」を特別意識されることがないのが実態です。

また、昇給も賞与も会社の基準で決められており、一般的なビジネスマンはプロ野球選手のように来年の年俸交渉をするようなケースは稀なのではないでしょうか。

一方、中国では基本的に1年ごとに雇用関係を見直すことが原則です。必要なポジションに必要な人材を雇うのが採用する側の基本で、社員には即戦力となることが期待されます。一般的には新人を社内で教育し、時間をかけてじっくり人を育てようという考えはありません。

雇われる側も自分が果たすべき役割を明確に意識して入社します。会社にどんな貢献ができるか、それに対する対価（給料）がいくらなのか。雇われる側も雇う側も明確なのです。

中国人にとって「雇用契約書」とは、果たすべき役割とそれに対する対価を1年ごとに確認し合うための大切なものです。会社という組織に対する帰属意識が強く、長期的かつ安定的な雇用に守られて仕事をしている日本人とはだいぶ違うようです。中国人にとって「雇用契約書」とは自分のポジションと給与を取り決め、それを確認するために重要な書類なのです。

## 自分の「値段」、自分の「時価」を考える

### ～常に自分の「適正価格」を意識する～

私事ですが、初めて海外駐在生活を経験したのは26歳のときでした。勤務先の提携企業が台北にあり、現地への出向となりました。しかし、厳密に言うと日本からの出向ではなく、勤務先を一度退職し、台北の提携企業に現地で直接採用される形でした。業務は日本側から持ち込んだものをそのまま継続して行っていましたが、雇用形態としては現地採用です。

赴任初日にはさっそく台湾人の総経理との面接がありました。当時、午前中は大学の語学センターに通って中国語の勉強をすることを希望していたので、勤務時間は午後から夜までという変則的な時間帯になりました。面接は今後の業務の打ち合わせと条件面での話し合いなど、台湾側から雇用条件の提示がある予定で、総経理とじっくり話し合いをするつもりでした。

しかし、面接の日、総経理室に入ると、彼はいきなり私にこう質問しました。今でも忘れられない言葉です。

「お給料はいくら欲しい？」

これが開口一番、彼が私にぶつけてきた質問です。この台湾人総経理とはこれまでもずっと一緒に仕事をしてきたので、私のスキルや経験について彼は十分に把握していました。だから面接ではいきなり給料の金額から切り出してきたわけです。しかも金額の提示ではなく、「いくら欲しいか？」という質問です。

「年収でいくら欲しいか？」と言い直し、彼は私に答えを迫りました。私は予想もしていなかった質問に戸惑い、すぐに答えられませんでした。

それというのも、当時の私は「お給料」は個人の能力や経験、勤続年数に応じて、「会社が決めてくれるもの」と思っていたからです。いきなり「いくら欲しい？」と聞かれても、どのくらいの金額を要求したらいいのか見当もつきません。出向先の会社の基準も知らないし、査定の方法も知りません。他のスタッフの金額も聞かされていなかったし、職位ごとの平均も手当てや昇給の基準など、即答するために必要な情報を何ひとつ持っていなかったのです。

「いくら欲しいか言ってみなさい」と総経理は繰り返し私に迫ります。わずかな時間で頭をフル回転させて、1カ月の家賃と生活費を計算し、このくらいあったら海外で暮らしていけるだろうという金額に一時帰国の飛行機代も加えて、およその金額を彼に言いました。

結論を言うと、26歳の私はこのとき、自分自身をかなり「安売り」してしまったのです。

総経理は私の金額を聞いて、すぐに答えを出しました。

「いいでしょう。明日から仕事をしなさい」と、右の拳で左手の掌を叩いて即決でした。

「それにプラスして夜の勤務手当てをつけましょう。会社の寮の部屋も提供します」と私にってはプラスの条件が瞬時に加わって、あっという間に面接が終わりました。

後でわかったことですが、私の給与は他とスタッフと比べて極端に安い金額ではありませんでした。経歴や経験から見ると、台湾ではある意味で妥当な水準です。もちろん1人で駐在生活するには十分すぎる金額です。その上、手当てもついて、寮の部屋も無料で利用できます。

しかし、他の日本人駐在員に比べると、やはり若干低い水準でした。

「もっと高い金額を要求してもよかったんじゃない？」と何人かの日本人に言われましたが、ここで私は初めて「自分の値段」というものを思い知らされました。お給料は会社が決めてくれると思っていた自分は、自分で自分の「適正価格」を知らなかったのです。それどころか、「今の自分がいくらで売れるか」という「自分の時価」を考えてみようという発想そのものがなかったと言ってもよいでしょう。

もちろんお給料は高ければ高いほうがいいに決まっています。しかし、やりたいこと、やるべきこと、期待されていること、実際にできること、会社にどれくらい貢献できるか、このバランスの中で「自分の値段」が決まります。会社が今の自分にどれだけの値段をつけるか、逆に自分にどんな付加価値があれば自分を会社に高く売り込むことができるか、このことを思い知らされた出来事でした。

1年後、次の契約更新まではちょっとつらい思いをしながら、それでも何とか頑張って仕事をこなし、次の契約交渉で改めて自分の「適正価格」を主張しました。自分の「時価」に改めて正面から向き合い、2年目は理想的な年収を確保することができました。

それ以来、常に今の自分がいくらで売れるか、「自分の値段」を意識するようになりました。ある意味では、26歳のつらい経験は「自分の値段」を考える大切さに気づくきっかけを与えてくれたわけです。苦い思い出ですが、今思うと26歳でこのような貴重な体験ができたことは幸せだったと思います。

# 権限やポストを意識して仕事を探す中国人
## ～小さくても「権限」を与えられることが魅力的な会社～

「今度の会社は責任の所在が曖昧で、仕事がやりにくいんですよ」

これは上海で日系企業に就職した友人のコメントです。年齢的にも経歴的にも経験豊富とは言えない彼ですが、どのくらい頑張ればどんな仕事を任せてもらえるようになるのか、「権限」や「責任」について具体的な説明がなかったことも不満の1つだったようです。予想通り、彼はすぐに転職してしまいました。在籍期間はわずか半年でした。

中国企業は必要なポストに条件の合うスキルを持った人材を採用することが基本です。新人を一括採用し、時間をかけて社員を教育するスタイルではありません。採用する側は即戦力を期待するわけです。

同時に、雇われる側も自分の能力やスキルを活かすことができる会社やポストを意識して仕事を探します。自分が果たすべき役割と責任を明確に意識します。言い換えると、中国人は自分がいくらで売れるか、自分の適正価格を常に考えていると言えるかもしれません。

自分が果たすべき役割を明確に意識しますから、彼らは会社に入るときに、自分にどのような「権限」が与えられるかという点をとても気にします。自分のポジション、与えられる「権限」の大きさを意識して、1つでも多くの「権限」を欲しがるのが中国人です。「権限」が与えられない仕事、または「権限」が明確になっていないポジションには魅力を感じないと言ってもいいでしょう。

もちろん、会社側は経験や実績がない新入社員に大きな「権限」など与えることができません。ラインに配置される新人ワーカーに最初から「権限」はありません。営業担当でもエンジニアでも会計業務担当でも、社内で一定の経験を積んだ上で、その評価を受け、実績を作ることが先です。

しかし、どんなポジションであっても、その人が将来どのような「権限」を持つことが可能か、そのためにはどのようにスキルを磨いたらいいか、スキルアップにはどのようなキャリアプランを考えればいいか、このような「目標」を持たせることはできるはずです。

新人のワーカーでもラインで経験を積むことで「班長」に昇格できるとか、実績次第ではラインリーダーとしてチームを統括するポジションに就けるとか、さらに経験を積むと新人を教育するポストを任せるとか、何かしらの「目標」は示せるはずです。もちろん昇給の条件、成果と報酬の関係も明確にしておかなければなりません。

どれだけ大きな「権限」を与えて中国人に仕事が任せられるか、同時にまた、小さくても1人ひとりにどれだけ明確な「権限」を与えているかという点が重要です。また、中国人社員に対して、どんなスキルを習得すれば将来どんな「権限」が与えられるかという点をはっきり示し、社内でのスキルアップのビジョンを提示することが重要なのです。

日本企業は一般的に「入社後、どんなに頑張っても出世には限界がある」と思われているようです。貪欲なまでに「向上心」が強い中国人は、恐らく就職先としてこういう会社は選ばないでしょう。これでは日本企業に優秀な人材はなかなか集まりません。

独資で中国に進出している日系企業の場合、一般的に現地法人の総経理は日本から派遣するケースが多いようです。部長級のスタッフもすべて日本から派遣するという企業もあります。つまり、これらは日本人専用のポストなのです。経営に携わる管理職の道を中国人に対して最初から閉ざしてしまっている企業が多いことに驚かされます。

営業職でも、マーケティングでも、品質管理でも、専門家として入ってくる中国人スタッフが、「どんなに頑張って働いても、この会社では課長までしか昇給できない」「マネジャーになれるのは10年後」、または「経営に参画できる管理職は狭き門」ということが入社の時点でわかったとしたら、その会社に魅力を感じるでしょうか。

## 「権限」と「責任」のバランスが重要
### ～与えた「権限」に対し、きちんと責任を課すのが中国流～

中国人はどんな「権限」を与えられるかという点を大変重視します。会社に入るときは1つでも多くの「権限」を得ようとします。彼らは1つでも多くの「権限」「決定権」を持たされる仕事を希望します。採用する側もこの点を明確に意識して社員を集める努力をしないと、優秀な中国人は採用できないと言えるでしょう。

一般的な日本企業は組織やチームで仕事を進めることが多く、「権限」を細分化して1人ひとりに振り分けるケースは少ないようです。あえて個人の責任を明確にせず、組織やチームの総合力を重視します。「みんなで頑張ったことは、みんなの成績」「万一、失敗があっても個人の責任を追求するのではなく、会社として責任を取る」「トラブルがあっても連帯責任」というのが基本的な考え方ではないでしょうか。

日本企業は社員を採用するときに、協調性がある人物かどうか、気配りができる人物かどうかを判断基準の１つにします。チームワークを乱すタイプ、互いに協力し合うことができないタイプは、採用候補から外されるわけです。「チームワーク」「組織力」「連帯責任」といった点を重視するのが日本企業です。

しかし、こうした日本企業の「強み」は、ビジネスを進めていく上で「壁」にぶつかると、逆に日本企業のウィークポイントになってしまうことがあります。たとえば、「責任の所在が曖昧」「誰も責任を取らない」「個人の能力が発揮されていない」「稟議に時間がかかる」などマイナス面がクローズアップされる事態となります。

そもそも中国人ビジネスマンは、こうした日本的な「チームワーク」「組織力」「連体責任」といった仕事の進め方に、違和感を覚える人も少なくありません。組織のあり方、仕事の進め方が違うのです。「決定権は誰にあるのか」「責任は誰が取るのか」「成果は平等に配分されているか」といった点が明確になっていないケースが多いからです。

「協調性が評価基準の対象ですが、個人の能力が軽視されているように感じます」

「１人ひとりが正当な評価を受けていない」

「私は頑張ったのにボーナスは全員がほぼ均等で、会社は私の頑張りを認めていない」

これらは日系企業で働く中国人社員からよく聞くコメントです。中国人は「決定権」のある仕事を望む傾向があります、「権限」を意識して入社してくるのが中国人です。

新人であれば新人なりの「権限」、中間管理職であれば役職に見合う「権限」、役員であれば会社の経営に携わるものとして当然の「権限」など、それぞれのポストや責任によって与えられる「権限」は違いますが、それを明確に意識するのが中国人です。

しかし、「権限」を与えるだけでは業務は成り立ちません。ここで重要なポイントは「権限」を与えると同時に、「権限」を与えた本人に「責任」も課すということです。「権限」を要求してくる中国人に対して、同時に会社側はその「責任」を果たすことを要求します。この「権限」と「責任」のバランスが重要ではないかと思います。

「責任」を課すことは組織として当然のことですが、日本の組織の場合、組織として個人の「責任」をなかなか追求しにくい体質があるのではないでしょうか。一方、中国の組織の場合は個人に与えた「権限」に対して、それに見合うだけの「責任」を十分に果たすことが求められます。大きなプレッシャーを与え、結果的にそれが個人に対する責任追求という形になることもあります。「権限」と「責任」の形が違うこと、個人に対して「責任」を果たすことが容赦なく求められることも中国流です。

# 「社員管理のドーナッツ」と7つのキーワード
## ～ドーナッツの中をぐるぐる回っていれば、会社を辞めない社員～

ここで1つの重要な図形を紹介しましょう。図17を見てください。これは中国人ビジネスマンを理解する上で、大変重要な図形です。同時に、彼らの仕事に対するモチベーションを上げ、それを維持し、社員の離職率を下げ、定着率を引き上げるために理解しておきたいポイントが凝縮されている図形です。

筆者はこの図形に「社員管理のドーナッツ」という名前をつけました。中国ビジネススキルアップ研修では最重要ポイントとして取り上げる重要な図形です。ぜひ、この図形と7つの言葉を頭にしっかりインプットしていただきたいと思います。

このドーナッツ型の図形を1つの組織と見立てます。このドーナッツの輪の中に入り、左回りで輪の中をぐるぐると進んでいくことが会社の中で仕事を進めることです。ドーナッツ1周は1つのプロジェクトと考えてもいいかと思います。

この図形に7つの言葉が出てきます。「権限」と「責任」、「目標」と「評価」と「基準」、そして「成果」と「報酬」の7つです。この7つの言葉が中国人ビジネスマンの考え方を理解し、彼らを管理していく上で大変重要なキーワードになります。まずはこの7つの言葉を覚えてください。図形を見なくてもすらすらと言えるように暗記することからドーナッツの理解を始めましょう。

ドーナッツの左下に新入社員の林さん（仮名）がいます。彼はこれまで何度かの転職を経て、営業職として応募してきました。経験と実績、営業スキルもしっかり学んできたビジネスマンです。入社試験に合格し、まさにこのドーナッツに入ろうとしているところです。

面接の担当者は林さんがこの会社が求めているスキルを持っているかどうかをチェックします。林さんからも「同様な職務権限を与えてもらえるか」という質問があり、彼自身も自分が果たすべき役割を明確に意識しています。

林さん本人は、自分が持っているスキルを活かすことができるかどうかがポイントですが、同時に会社側から見た場合、林さんのスキルを活かすことができる「権限」と「責任」を与えられるかどうかがポイントです。彼は会社の即戦力として期待できそうな人物です。

採用を決めて、会社は林さんに対して具体的な「権限」と「責任」を与えます。「権限」だけ与えて、「後は自由にやってください」という仕事はあり得ないことです。林さんには「権

**図 17　社員管理のドーナッツ①権限と責任**

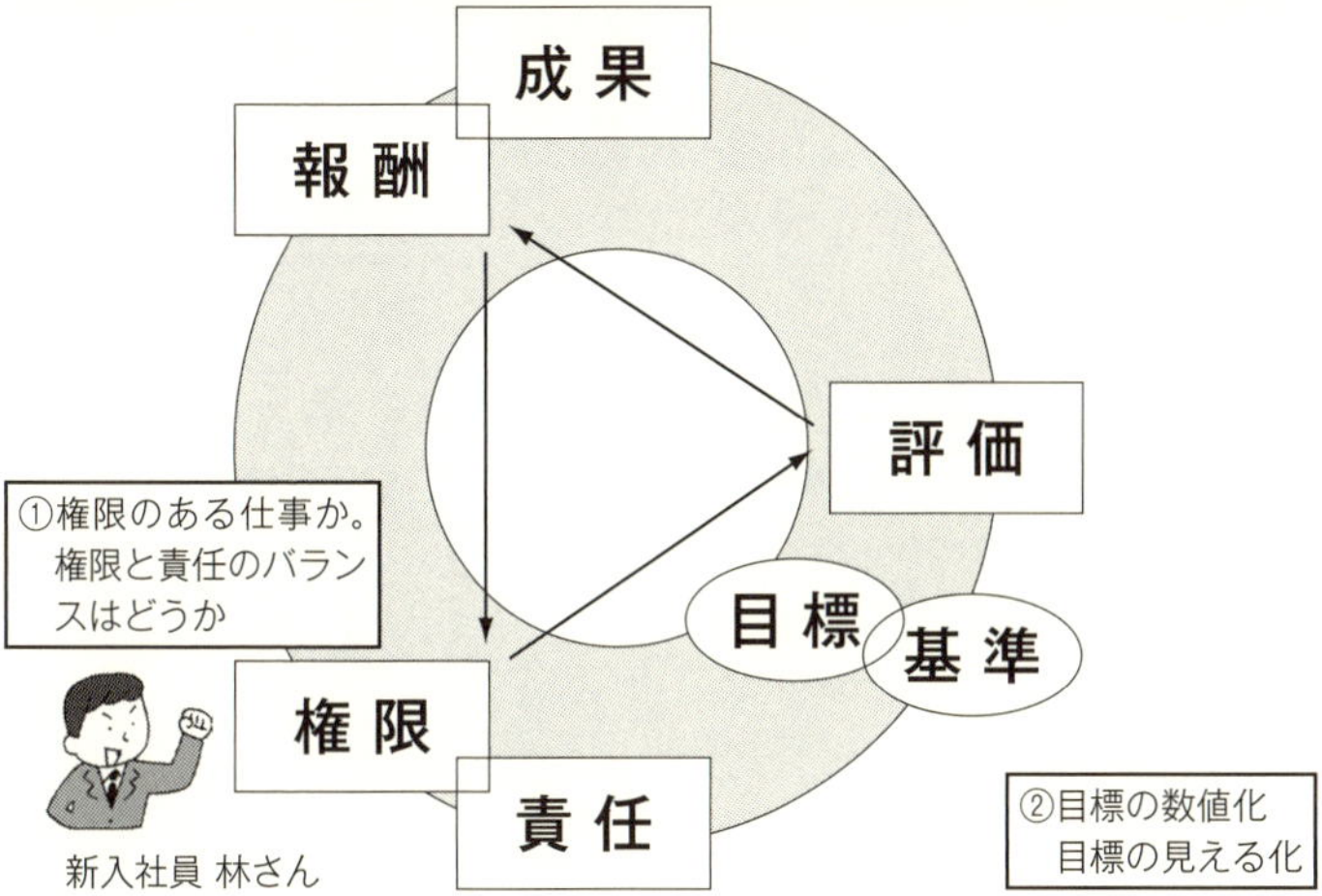


限」と同時に相応の「責任」も課していきます。この「権限」と「責任」のバランスが大変重要です。会社側は本人に「権限」と「責任」をしっかり認識させることが必要であり、同時に会社側もこの「権限」と「責任」のバランスに気を配る必要があります。

「権限」と「責任」の次に来るのは、「目標」です。会社は利益を追求する企業体ですから、どんな部署であっても、どんなポジションであっても、「目標」が設定されているはずです。たとえば、営業担当であれば、販売額なのか、利益率なのか、見込み客への訪問件数なのか、成約率なのか、「目標」を明確にします。会社の目標、部署の目標、チームの目標、個人の目標など、できるだけ明確に数値化できる具体的な「目標」が理想です。

工場のラインであれば、不良率を下げる、納品遅延率を下げる、ラインの機械の稼働率を上げる、製品自体の精度を上げるなど、具体的な「目標」を具体的な「数値」で出せるかどうかがポイントです。「目標」を設定して、その「目標」を社内に掲示したり、ミーティングで発表したり、1人ひとりにその「目標」を常に意識させるための工夫も必要です。

中国ビジネスにおいて特に強調したい点は、それぞれの「目標」が社内のスタッフの誰が見てもすぐにはっきりわかるような方法で具体的な「数値化」ができているか、「見える化」ができているかということです。みなさん自身の業務もここで改めて再点検してみていただきたいと思います。

## 「目標」と「評価」、その「基準」について
### ～誰が見てもわかるもの、具体的であればあるほど効果的～

「目標」とは社員の士気を高めるようなスローガンではなく、具体的な「数値化」と誰が見てもわかる「見える化」、さらに正当な「評価」がされているかどうかという点が重要なポイントです。社員全員で意識が共有できる仕組みができているかどうか、誰が見てもわかる形になっているか、具体的であればあるほど、効果的です。

中国に工場を持つある会社の場合、具体的な目標数値を書き込んだ折れ線グラフを廊下に張り出していました。過去の記録も成長の経緯として残されていて、目標を達成した後の業績が1枚の模造紙に収まりきれずに、天井方向へはみ出すように用紙が追加されていました。当初の目標を上回る業績改善によって、追加された書き込み用紙が不自然に天井方向に伸びているのが印象的でした。数値化すること、誰が見てもわかりやすい表にして掲示することの事例です。

上海のあるデパートでは、社員更衣室のドアの横に「鏡」と「個人成績表」を張ったボードが隣り合わせに掛けてありました。「鏡」には「フロアに出る前に身だしなみチェック！　スマイルチェック！　お客様の視線をいつも気にして！」という言葉が書かれたポスターが貼ってあります。横にある「個人成績表」には自分自身で赤丸のシールを貼るようになっています。自己評価、自己採点方式で毎日自分自身をチェックしているのです。お客様アンケートで「好印象スタッフ」に選ばれた社員には、リボン付きで本人の顔写真が貼りだされ、成績優秀社員ということで表彰されていました。

朝礼を行って定期的に「目標」の進捗状況を確認し、特に目標達成者は社員の前で発表し、拍手を送るといったセレモニーを実践している企業がありました。この会社も目標達成者を顔写真入りで廊下に張り出していますが、自分で選んだベストショットの写真を自分で準備するという点がユニークでした。わざわざ写真館へ写真を撮りに行ったり、家族や子供と一緒に映っている写真を持ってくる社員もいるそうです。

また、工場のラインでは目標達成者の帽子やユニフォームにリボンをつけたり、ホワイトカラーであればスーツの襟に「リボン」をつけたり、営業職の場合は目標を達成した人に特定の色の「ポケットチーフ」を贈ったりする企業もありました。昇給すると帽子の色を変えたり、ユニフォームのスカーフの色を変えたり、色で職位を区別する方法はよくあります。しかし、職位や担当業務に関係なく目標達成者に「リボン」を贈るという取り組みは新鮮でした。この「リボン」は「勲章」と同じです。たくさんつけているスタッフはどこか誇らしげでした。

また、ある工場では社員食堂のコックの腕を評価する人気投票を行ってコックのランキングづけを行っていました。社員食堂のコックまでも誰が見てもわかりやすい基準で評価の対象としているという事例です。

別の工場では「社員旅行の行き先を決める権利」をインセンティブとして採用して、イベント仕立てで生産ラインごとに目標達成率を競わせているという例もありました。会社が社員旅行を企画する場合でも、「社員に行き先を決めさせる」「社員旅行での自由時間（買い物の時間）を増やす」「夕食のグレードをアップする」など、社員のモチベーションを上げるための工夫にもいろいろな方法があることに気づかされました。

中国人は「自分が他の人より優れていることを周囲に認めて欲しい」という欲求があります。日本人のように人知れず影で努力し、謙虚な気持ちで縁の下の力持ちになるのではなく、「自分が優れていることをみんなに知らしめたい」という欲求が自然の気持ちなのです。

ですから、社員側は会社から正当に「評価」されていること、それが他の社員にもしっかり伝わるための仕組みがあるかどうかを大変気にします。逆に、会社側のほうで誰が見てもわかりやすい方法で社員を「評価」して、その社員の優秀さを他の社員にも伝えるための仕組みができていないと、優秀な中国人社員は集まらないことになります。

168ページで日系企業に就職した林さんですが、彼は会社に対して不満に思っている点が1つあります。それは評価の「基準」です。日系企業が社員を評価する際に、「協調性」「将来性」、そして「忠誠心」という3つの点を評価の基準として重視する企業があります。こうした基準は日本企業では一般的なことかもしれませんが、これは中国人には敬遠されがちなポイントです。林さんもこうした基準が重視されることに戸惑いを感じたようです。

その理由は、これらの評価基準は評価する人の見方が違うと、異なる結果になってしまうことが多い基準だからです。直属の上司である田中課長からみた林さんの評価と、同僚である佐藤さんから見た林さんの評価はまったく同じではないはずです。

仮に、評価する側が管理職同士である程度評価の方法の意識合わせをしていた場合であっても、評価結果にはズレが生じることが十分に考えられます。営業部の田中課長から見ると、「林さんの協調性は$\mathrm{A}^{-}$、会社に対する忠誠心は$\mathrm{A}^{++}$」、しかし、人事部の鈴木課長から見ると「林さんの協調性はA、会社に対する忠誠心は$\mathrm{B}^{-}$」かもしれないのです。

評価結果の違いは、評価する側とされる側の立場の違い、接点の濃淡、2人の相性ということもあるでしょう。つまり、評価する人が変わると異なる結果が生じるような評価基準は中国人に敬遠されるのです。もっと明確な基準を示し、誰が見てもわかる評価の仕組みを作らない

**図 18　社員管理のドーナッツ②評価の基準**

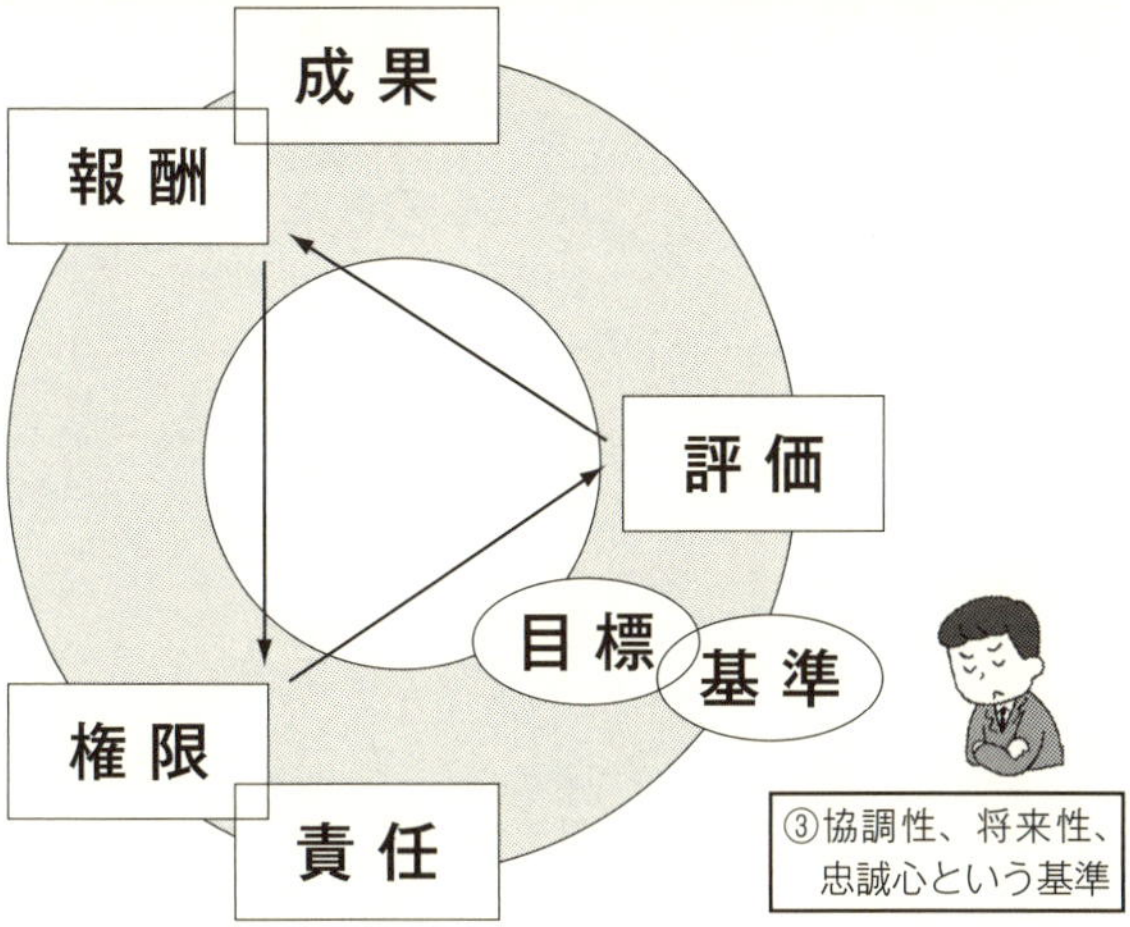


と中国人を納得させることは難しいでしょう。どんな職種やポジションであっても、客観的に「数値化」「見える化」ができる評価基準を設けることが理想的です。

## 「成果」に見合う正当な「報酬」が受け取れているか
### 〜中国人は本当に「拝金主義」「利己主義」なのか?〜

次に「成果」と「報酬」の関係を見ていきましょう。林さんはプロジェクトで「目標」を達成し、一定の「成果」を上げました。評価の「基準」に対しては会社に対して若干の不満はありますが、会社から十分な「権限」を与えられていること、その「責任」を果たして「成果」を出したことで、会社から一定の「評価」が得られたと感じています。

しかし、不満に思っている点は「成果」に対する「報酬」です。「成果」に見合うボーナスを期待していた林さんは、ボーナスが期待より少なかったという不満を感じています。また、「目標」を設定した時点で、「報酬」を決める基準が具体的に提示されなかったことにも不満を感じています。

会社のボーナス(定期賞与)や個別の目標を達成したときの特別賞与、歩合制のコミッション、職種やポジションによっていろいろな「報酬」の形があるかと思いますが、労働に対する

**図19 社員管理のドーナッツ③成果と報酬**

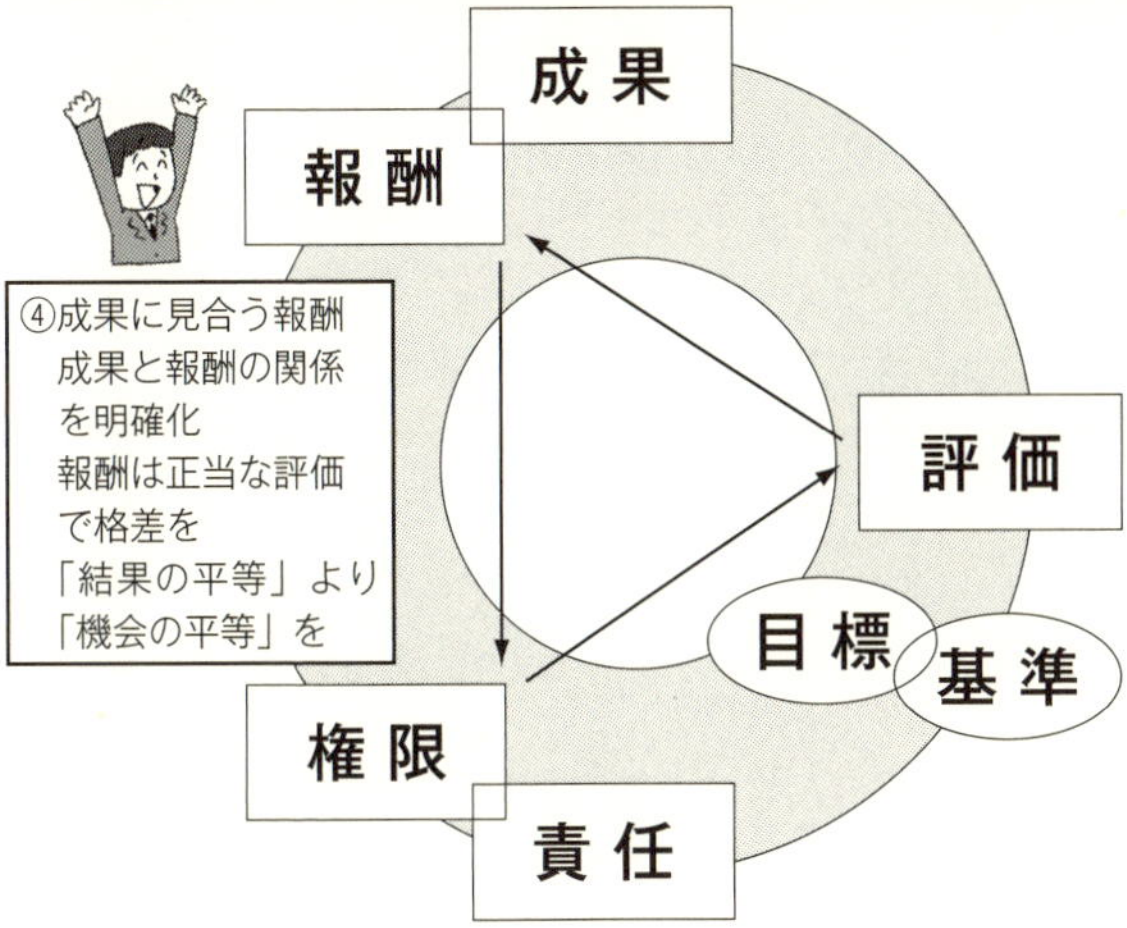


対価が誰にでもわかりやすい形で明確に示されているかどうかがポイントです。中国人は「成果」と「報酬」の関係を明確に意識して仕事をします。

これは「目標」を達成した場合の「報酬」だけでなく、時間外労働に対する残業手当てや休日出勤手当て、出張手当てなども同様です。

ついつい日本人はサービス残業をしたり、土日に仕事を自宅に持ち帰ったり、出張に行くと24時間体制で仕事をしたりしてしまいがちですが、中国人から見ると「日本人のこうした行為はとても理解できない」「労働に対する対価が正当に支払われていない」と思うのが正直なところです。

「残業手当てが少ない」「もっとボーナスが欲しい」といった不満は、実は支給基準や支給方法を明確にしておかないことが原因になるケースが多いようです。「自分だけ正当な評価を受けていない」という不満も誰が見てもわかりやすいように基準が明確にされていないからです。

お給料やボーナスで少しでもよい条件があるとすぐに転職してしまう中国人を見て、日本人は「拝金主義」という言葉を使って批判的な見方をします。しかし、本当にそうなのでしょうか？　彼らは正当な「基準」で判断される正当な「評価」と、「目標」を達成した「成果」に対する正当な「報酬」を求めているだけなのです。

日本企業は会社や組織の中でチームの一員として協調性やチームワークが重視されます。その延長で必要以上の労働を強いられたり、個を犠牲にして組織のために動かなければならないこともあります。「会社のために頑張ろう」「みんなが頑張っているんだから自分も頑張らなければ……」というのが一般的な日本人の考え方です。

しかし、曖昧な基準で評価され、成果に対する正当な報酬がきちんと受けられないのは、むしろ日本人自身のほうではないでしょうか。「頑張った人が頑張った分だけ評価される」「成果を上げた人にそれに見合う報酬が支給される」と考える中国人のほうがより健全ではないかと思います。

もちろん「自分さえよければ他は関係ない」というのは「利己主義」です。それをよいとは思いません。しかし、彼らは「会社が自分に期待することに対して、自分自身の実力を１００

％発揮することが会社への貢献である」と考えています。

ここで日本企業で仕事をしている私たち自身の「社員管理のドーナッツ」を、私たち自身がもう一度考え直してみる機会を作ってみてはいかがでしょうか。「中国人は拝金主義である」「中国人は利己主義である」と思う前に、彼らのドーナッツをしっかり考えてみたいと思います。そして、自分自身のドーナッツももう一度見つめ直してみてください。

## 「ボーナスは3倍の格差をつける」ことが成功の秘訣
### ～「結果の平等」よりも「機会の平等」を重視する中国人～

日本企業は組織やチームを重視しますから、「みんなで頑張った成果は平等に分配する」というのが基本的な考え方です。たとえば、プロジェクトが成功すれば、関わり方の濃淡はあったにせよ、プロジェクトに関わったスタッフ全員の「成果」となります。個人がどれだけプロジェクトに貢献したかということより、全員の共同成果として「報酬」も等しく分配するのが一般的でしょう。

万一、プロジェクトが失敗した場合でも、チームの「連帯責任」となり、誰か1人が責任を追及されることはないはずです。個人の責任より、チーム全体の責任と考えます。共同成果は平等に分配することが基本です。同時に、失敗があった場合は個人の責任追及よりチームの「連帯責任」と考えて、チーム全体で責任を取ることが基本となります。

しかし、中国では「成果」に対する「報酬」に格差をつけるほうが一般的です。「頑張った人には頑張った分だけ報酬を多く分配する」ことが基本です。個人の実績と貢献度に合わせて結果に「格差」が出ることは当たり前と考えるわけです。

中国のある日系企業の総経理がこんな方法を力説していました。

「弊社では個人の実績に応じて、ボーナスは3倍の格差をつけます。平等ではなく、むしろ格差をつけることが、中国人のモチベーションを上げる有効な手段です」

また、社員のやる気を引き出すコツについてこう話しています。

「まず評価の基準を明確に示し、社員全員に周知徹底することが重要です。どうして3倍の差がついたかという理由を本人にはっきり伝え、納得させなければなりません。制度が定着するまでは、根気よく努力をしてきました」

中国人は「結果の平等」より「機会の平等」を重視します。つまり、「報酬」が平等に分配されるかどうかより、より多くの「報酬」を得るためには「機会」（チャンス）が平等に与えられるかどうかのほうが中国人にとっては重要なことなのです。

「頑張った結果ではなく、頑張ってみようというチャンスを平等に与えているか」が重要なポイントです。その結果、「頑張った人が頑張った分だけより多くの報酬を得るのは当たり前」という考え方なのです。逆に「頑張れなかった人は、頑張った人と同じだけの報酬を得ることができない」ということです。「平等に機会が与えられていれば、それに対して成果を出せなかったのは本人の問題」という割り切った考え方をするのです。「報酬の格差はあって当たり前」というのが基本的な考え方です。

繰り返しになりますが、これは評価の基準が明確であり、誰が見てもわかりやすい形でこの評価基準が周知徹底されているという前提が必要です。頑張らなかった人が頑張った人と同じような報酬を得ていたとしたら、逆に大きな問題になります。「目標」と「評価」、「評価」とその「基準」の関係が明確になっていることが重要です。

## 「成果」と「報酬」は金銭だけとはかぎらない
### ～スポーツ大会や社内旅行などの福利厚生の充実も効果的～

「成果」に対する「報酬」はさまざまな形があります。社員の実績や経験に伴う昇給や会社の業績に応じて支給される定期賞与（ボーナス）が基本ですが、個人が目標を達成したときの特別手当てや歩合制のコミッション、チームごとに競わせることを目的に支給する報奨金など、社員のモチベーションを上げるためにさまざまな方式を複合的に取り入れて実践している企業があります。

中国ではお祝いごとがあると「紅包《ホンバオ》」を贈る習慣があります。「紅包」とはお祝い金という意味です。結婚式の「ご祝儀」や春節に子供たちにあげる「お年玉」も「紅包」と言います。金額の多い少ないに関わらず、「成果」に対する「報酬」の1つの形として社員に「紅包」（金一封）を渡す企業も少なくありません。

「成果」に対する「報酬」というだけでなく、社員の誕生日に渡したり、長期休暇の際に交通費の一部や故郷へのお土産代として「紅包」を支給したり、結婚式や家族のお祝い事では特別に招待されていなくても「紅包」を渡したり、さまざまな方法で「紅包」を活用している企業があります。「紅包」は人間関係を構築する上での「潤滑油」と言えるかもしれません。

中国では家族や親戚の結婚式だけでなく、さまざまな機会に親戚や一族が集まり、食事会を開く習慣があります。誕生日、結婚記念日、銀婚式、金婚式など。また、子供や孫が生まれた、家族の誰かが海外に留学する、会社を作った、マンションを買った、留学先から帰国する、地域で表彰された、海外に住んでいる親戚が一時帰国するなどなど。さまざまな機会に家族や親戚が集まり、頻繁に食事会を催すのが中国人です。中国人の部下の家族でこうしたお祝いごとがあるとき、気持ちだけでも「紅包」(お祝い金)を渡すのも人間関係の距離を縮めるために有効な手段です。

「成果」に対する「報酬」の話題に戻りましょう。「報酬」は必ずしも金銭である必要はありません。中国で工場を経営している企業では、中国人ワーカー向けの福利厚生の一環として、スポーツ大会やバス旅行を実施している企業も少なくありません。

会社単位で「成果」に対する「報酬」を提供する1つの方法として、スポーツ大会やカラオケ大会など会社のイベントで優勝景品を提供する、イベントの運営経費の補助をするといった方法もあります。

図 20　社員管理のドーナッツ④さまざまな報酬の形

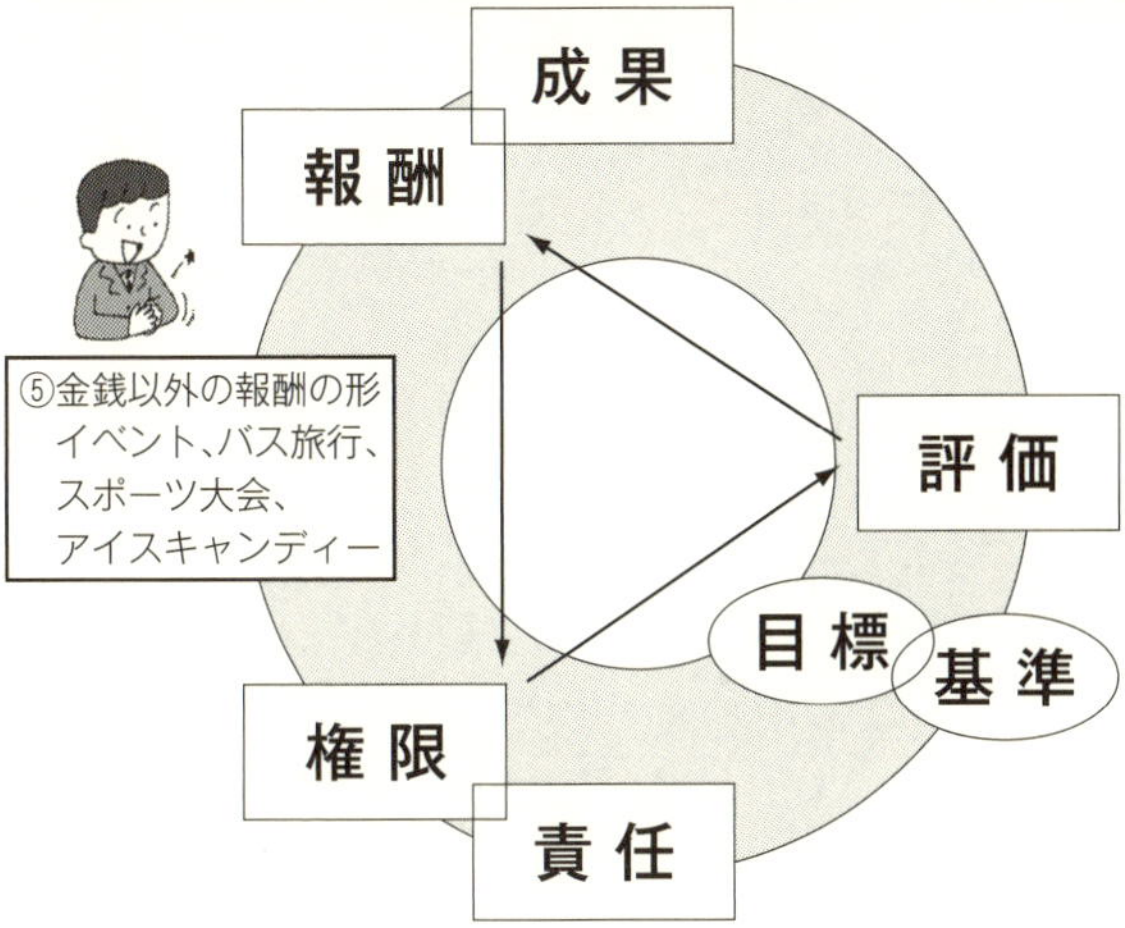


バス旅行でお菓子やお弁当を提供したり、ワンランク上の食事をセッティングしたり、「成果」に対する「報酬」としてバス旅行自体を日帰り旅行から1泊2日に格上げして実施したという企業もありました。

また、忘年会ではビンゴ大会で豪華な景品を提供したり、優秀な社員を表彰して「紅包」(金一封）を総経理自ら直接渡すというセレモニーを実施している企業もありました。

チームやグループ単位の取り組みでユニークな「報酬」の出し方の事例があります。工場ラインの改善活動において週単位の「成果」をあげたグループに対して、「報酬」として翌週から午後の休憩時間に毎日アイスキャンディーを配った結果、劇的に社員のモチベーションが上がったという事例です。

ただし、ある日、廊下に捨てたアイスキャンディーの棒を日本人指導者が見つけました。その翌日からアイスキャンディーを配ることを中止したところ、社員は自主的にミーティングを開いてこの問題について話し合う機会を設け、改善策を提案してきたそうです。アイスキャンディー欲しさという次元を超えて、現場改善について社員の意識を深めるために大変効果があったという事例です。

このように「成果」に対する「報酬」はボーナスや特別手当など金銭を支給することが唯一の方法ではなく、さまざまな方法を工夫することによって社員の仕事に対するモチベーションを上げることができます。ドーナッツの中で社員をうまく回していくためには、「成果」と「報酬」までつながる流れを誰が見てもわかりやすい「目標設定」や「評価の基準」を作ることが重要です。そして、長期的な取り組みによる「成果」と「報酬」と、すぐに結果がわかる短いスパンでの「成果」と「報酬」と、この2つをうまく組み合わせて目標の設定ができるとより効果的ではないかと思います。

# 「私の仕事を取らないでください」と思う中国人

## ～自分の「権限」と「責任」への第三者の介入は不要～

日本語には「サービス残業」という言葉があります。あなたは会社のために「無償奉仕」で献身的に頑張っているビジネスマンをイメージしますか？　それとも残業手当なしで働かされている理不尽な労働をイメージしますか？　中国人の多くは後者です。最近では日本人でも同じように感じる社員が増えているのかもしれません。

日本人は退勤のときに、「お先に失礼します」という言葉を使います。自分より遅くまで仕事している同僚に対して「自分だけ先に帰って申し訳ない」という気持ちです。残業で頑張っている同僚の気持ちを気遣う素敵な言葉だと思います。

中国語でも「我先走《ウォシエンゾウ》」という同じような表現がありますが、この表現には日本人がイメージするような「私だけ先に帰るけど許してね」という気持ちは含まれていないようです。単純に「先に帰宅します」という意味です。

「残業している同僚に遠慮して、なんとなく先に帰りづらい」「同僚が頑張っているのに1人で先に帰るのは申し訳ない」と思うのが日本人です。自分の上司に対してはなおさらです。「上司がまだ仕事しているのに、上司より先に帰るのはちょっと……」と思う人もいるのではないでしょうか。

しかし、中国人にとって自分の仕事が終われば、帰宅することは「当たり前」のことです。「仕事が終われば、必要以上に会社に残っている必要はない」「責任を果たしていれば、定時に帰宅することは当たり前」と考えます。残業する同僚への配慮は不要なのです。

同僚は自分の「権限」と「責任」で仕事をしています。残業をしてもしなくても「結果」と「報酬」はその同僚自身の問題です。第三者が口を出すことは逆に失礼なことです。

逆に、こんなことも起こり得ることです。

林《りん》さん（仮名）は明日までにまとめなければならないクライアントへの提案書を作っています。営業先からの帰社時間が遅くなり、今夜は残業になりそうです。定時になり、林さんの様子を心配した田中さん（仮名）は「大丈夫かい？　ちょっと手伝おうか」と声をかけました。田中さんと林さんは上下関係ではなく、同じ営業チームの同僚です。田中さんは林さんに気を遣って、「手伝えることがあったら遠慮なく言って」という気配りのつもりです。「1人で頑張っているのに先に帰るのは申し訳ない」という気持ちです。

しかし、林さんはこの田中さんの好意をどう受け取るでしょうか。日本人なら「ありがとうございます。自分で処理できますから大丈夫です」という答えを返すことが一般的でしょう。「申し訳ありません。それじゃ、お言葉に甘えて、この資料のまとめを手伝ってもらえますか」と遠慮なく仕事を頼むかもしれません。お互い助け合うことが基本だからです。

もちろん中国人にもこういう人はいるでしょう。しかし、林さんは「大丈夫です。自分自身で処理できますから……」という返事です。その背景には「これは私に任された仕事です。私がやるべき仕事です」という気持ちがあります。

もしかしたら、「どうして田中さんは私の仕事を取ろうとするのですか？」と思う中国人もいるかもしれません。なぜなら、林さんの頭の中では、自分に与えられた「権限」と「責任」、そして「成果」と「報酬」の関係が明確になっているのです。ドーナッツが回っているのです。

好意で声をかけた田中さんからすると、ちょっと寂しい気持ちもありますが、こう考える中国人も少なくないという事実を認識しておくべきでしょう。

# なぜ中国人は「給料明細」を見せ合うのか？

## ～正当な評価を受けているかどうか、自分で確認するため～

みなさんは給料日に同僚同士で支給されたお給料の明細を見せ合いますか？　同じ部署で仕事をしている同僚やチームメートがいくらお給料をもらっているか、先月の残業手当はいくらだったか、「給与明細」を見せ合って話をすることがありますか？

日本企業ならまずあり得ないことでしょう。「給与明細」を見せ合ったり、給与の金額について話し合ったりすることは絶対にないはずです。

しかし、中国では給料日に支給されたお給料の明細を見せ合って、お互いにその内容を確認し合う社員も少なくありません。会社側が「給料明細」を見せ合わないように注意を与えても、あまり効果はないようです。

どうして、彼らは「給与明細」を見せ合うのでしょうか？　実は、彼らは毎月お互いの「給与明細」を見せ合うことで、自分たちが会社からどのように評価されているか、自分が会社から正当な評価を受けているかを確認しているのです。つまり、「給与明細」を見せ合うことが、会社が自分を正当に評価しているかどうかを最も簡単に確認する方法なのです。極論を言えば、会社からの評価はすべて給与の金額に反映されます。自分が会社からどのように評価を受けているかは、彼らにとって「給与明細」がすべてなのです。

「権限」を持たされ、「責任」を果たし、高い「目標」をクリアし、正当な「基準」で「評価」を受け、「成果」に見合う「報酬」を受け取る。これは「当たり前」のことですが、ドーナッツの中で1つのプロジェクトできれいに完結しているかどうかが重要なポイントです。彼らはドーナッツの7つの言葉を常に明確に意識しています。

つまり、「給与明細」で不満を持つ社員からクレームがあった場合、ドーナッツのどこかに問題が生じていることになります。ドーナッツの7つの言葉の中でどこに問題があるのか、そのポイントを見つけ出して指導することがクレーム対応のポイントです。言い換えれば、社員1人ひとりに7つの言葉がきちんと説明できるように注意を払っていけば、社員からの不満は出ないはずです。社員が「給与明細」を見せ合っても、まったく問題ないと言えるでしょう。

もう1つの中国人の特徴として、彼らは「自分が正当な評価を受けているということを他人に知らしめたい」という気持ちがあります。正当な評価を自分自身で確認するだけでなく、周囲にも知らせたいのです。

しかし、彼らにとって正当な評価とは、等しく分け隔てない評価という意味ではなく、自分が他のスタッフより能力がある優れた人材であるということを、会社がきちんと認めてくれているかどうかという点です。さらに「給与明細」を見せ合うという行為は、優れた人材であると会社に評価されている自分を周囲にも顕示したいという気持ちの現れでもあります。

ある意味では平等に評価されるのではなく、「自分だけ特別扱いをして欲しい」という気持ちがあるのかもしれません。中国人にとって「特別扱い」は本人の自尊心を満足させるための重要なポイントです。同時に本人が自分を周囲に顕示する上でも重要なポイントです。

彼らは、自分たちのものだけではなく、日本人の「給与明細」も同じように注目しています。みなさんは現地社員の数倍、人によっては数十倍の年収を得ているはずです。1人の日本人を現地に駐在させる場合、赴任手当てや住宅手当、家族手当や帰国の渡航費用なども含めると、年収の2倍から3倍の費用がかかると言われています。

中国人社員の1人ひとりは日本人駐在員がそれだけの働きをしているかどうか、彼らも日本人をドーナッツに当てはめて「成果」と「報酬」の関係をとても冷静な目で見ています。つまり、現地スタッフから見ると、駐在で来ている日本人は自分たちの数倍、数十倍の働きをしているかどうかをしっかり観察しているのです。

もちろん日本人と中国人とでは会社の中で果たすべき役割が違いますから、単純に比較することはナンセンスです。しかし、日本人が自分たちの10人分、20人分の働きをしているかどうかをしっかり意識しながら見ている中国人も少なくないはずです。

通訳を同行させないと買い物にさえ行けない日本人駐在員やどこへ行くときも運転手付きの社用車を使う日本人に対して、大変冷ややかな視線で仕事ぶりを見ている中国人もいるかもしれません。現地に駐在する場合、少なくとも現地スタッフに溶け込もうとする姿勢や簡単な挨拶の言葉だけでも現地の言葉を覚えようと努力している姿を見せたいものです。

## 「社員管理のドーナッツ」のまとめ
### ～7つのキーワードを常に意識して中国人社員に接しよう～

ここまで「社員管理のドーナッツ」の図形を中心に7つの言葉について説明をしてきました。「権限」「責任」、「目標」「評価」「基準」、「成果」「報酬」、この7つの言葉がすらすらと言えるように、ぜひ覚えてください。

ドーナッツを一周するサイクルは1つのプロジェクトと考えてください。「権限」と「責任」から左回りで社員がぐるぐると回っている状態が続けば、この社員は一定のモチベーションを保ちながら、会社を辞めずに頑張って仕事を続けられると理解してください。

つまり、7つの言葉のどこかが「破綻」すると、社員はドーナッツの輪から飛び出して会社を辞めてしまいます。言い換えると、社員を辞めさせないためにはドーナッツが「破綻」しないように、この7つの言葉に注意を払っていけばいいわけです。「破綻」を防ぐために、この7つの言葉に注目して、その1つひとつをチェックしていけば問題点が必ず見つかるはずです。

図21　社員管理のドーナッツ⑤まとめ

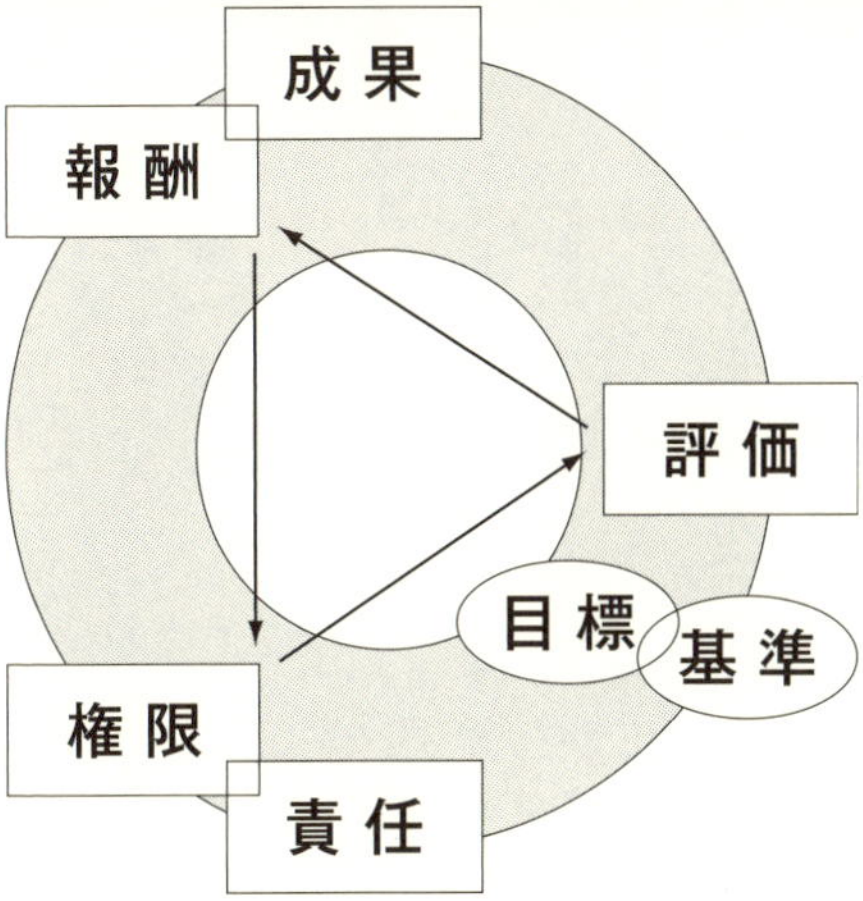


「破綻」とはバランスが崩れることです。いくつかの例を見てみましょう。

まず、面接に応募してくる中国人は、1つでも多くの「権限」を得ようと自分を売り込んできます。どれだけの「権限」が与えられるか、彼の経験と実績をチェックすることが必要です。

社員から見て魅力的な会社とは、この「権限」が明確になっていることです。会社が社員に与える「権限」が曖昧だと、ドーナッツの入り口のところでボタンの掛け違いが起こります。

次は、「権限」と「責任」のバランスです。社員が会社に対する持つ不満の中で、このアンバランスが原因となる不満が最も多いのではないでしょうか。十分な「権限」が与えられていない、「責任」のほうだけが重くて「権限」がないといった不満です。

逆に、会社側は「権限」だけ与えて、「責任」を果たしているかどうかをチェックしていかないと、中国人は「自分流」に走ってしまいます。中国人の「自分流」は会社という視点ではなく、自分自身を基準に良し悪しを判断しますから要注意です。

次は、「目標」「評価」「基準」です。社員に与えた「権限」と「責任」を踏まえた上で「目標」の設定が行われます。この「目標」は高すぎても、低すぎても「破綻」の原因になります。高すぎる「目標」はプレッシャーになり、過度なプレッシャーは社員が辞めていく原因を作ります。

逆に、低すぎる「目標」を与えると「成果」と「報酬」にもつながらず、社員のモチベーションを削ぐことになります。1人ひとりの能力にあった適切な目標設定が必要です。

さらに「評価」の基準が曖昧だったり、協調性や将来性や忠誠心といった日本的な「基準」で社員を評価しようとすると、「破綻」が起こります。客観的な評価基準がなかったり、担当者との相性や好き嫌いに左右されたり、評価する人が変わると判断が違ってしまうような評価基準は中国人には受け入れられません。こうした点が「破綻」の原因になります。

最後は「成果」と「報酬」です。適切な「基準」による「評価」を経て「成果」が判断されるわけですが、この「成果」に対する「報酬」が少なすぎると、当然ですが社員の不満となります。逆に「報酬」が多すぎても、今度は本人ではなく他の社員からの不満が出ます。

ここで重要な点は、どのような「成果」に対してどれだけの「報酬」をいつ出すのか、どのようなタイミングで与えられるのか、こうした点を明確にしておくということです。いつ、どのようにという点を明確に本人に伝え、必要に応じて社員全員が共有できる情報としておくことが理想的です。

いかがでしょうか。7つの言葉の重要性がおわかりいただけましたでしょうか。

「権限」と「責任」、「目標」と「評価」「基準」、「成果」と「報酬」、この7つの言葉がすらすら言えるようにぜひ覚えてください。そして、中国人に接するとき、常にこの7つの言葉を意識してみてください。

## 中国型チームワークと日本型チームワーク
### ～チームワークの形やリーダーの役割に大きな違いがある～

中国人はよく協調性がないと言われます。結束力に欠けるとも言われます。

しかし、本当に中国人は協調性がないのでしょうか？　チームワークが苦手なのでしょうか？　筆者はこれまでさまざまな企業をヒアリングしてきて、「中国企業と日本企業とではチームワークの形が違うのではないか」ということに気づきました。どうやら根本的にチームワークの形やリーダーの役割に違いがあるようです。

図を使って説明しましょう。図22をご覧ください。図形の中央にチームリーダーA氏がいます。リーダーはメンバーであるB氏からF氏に対して仕事を振り分けます。全体のバランスを考えながら、ベテランのB氏には多めに、新人のC氏には少なめに、D氏には仕事の量を少し減らして、先輩として新人のC氏を指導する役割も与えました。

チームが星型の線で結ばれているように全員が相互に連絡を取り合います。チームのメン

図22 日本型チームワーク

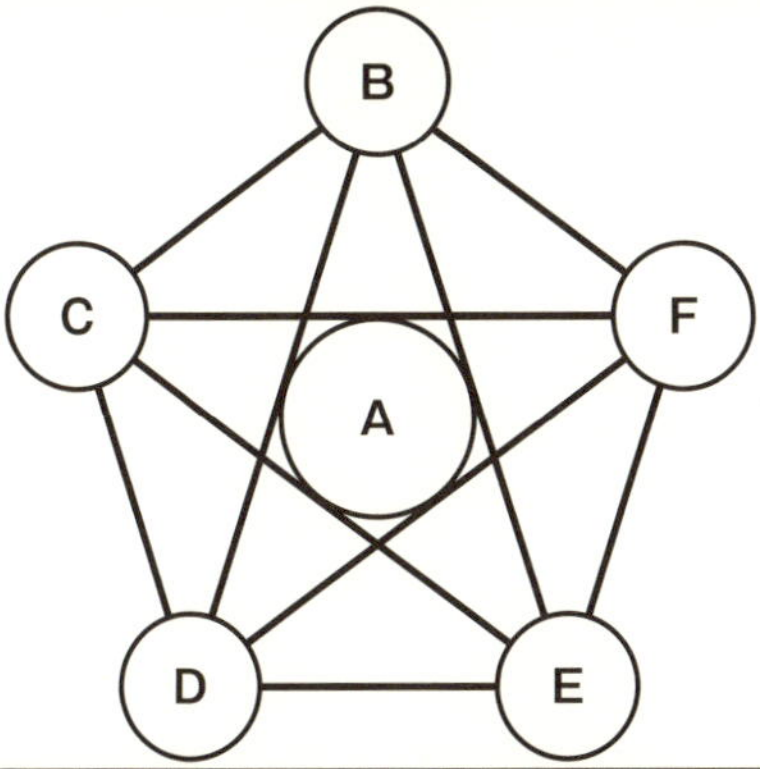


リーダーの役割は、チームとしての総合力の底上げ、チーム全体の力を引き出す

バーはそれぞれリーダーにプロジェクトの進捗状況を報告し、必要に応じてリーダーはミーティングを招集します。チーム内で報告と連絡と相談が常に行われて、情報が共有されることが日本型チームワークの大きな特徴と言えるでしょう。万一、進捗が遅れているメンバーがいれば、他のメンバーは支援し、リーダーもまたこの調整役になります。

ここでリーダーに求められている役割は、全体を見渡して仕事の遅れや精度をチェックし、チームとしての総合力を底上げし、チームの全体力を引き出すことです。つまり、リーダーは目的を達成するために全体の進捗管理やチームの調整役としての役割が期待されることになります。

一方、中国型のチームではどうでしょうか？

**図23　中国型チームワーク**

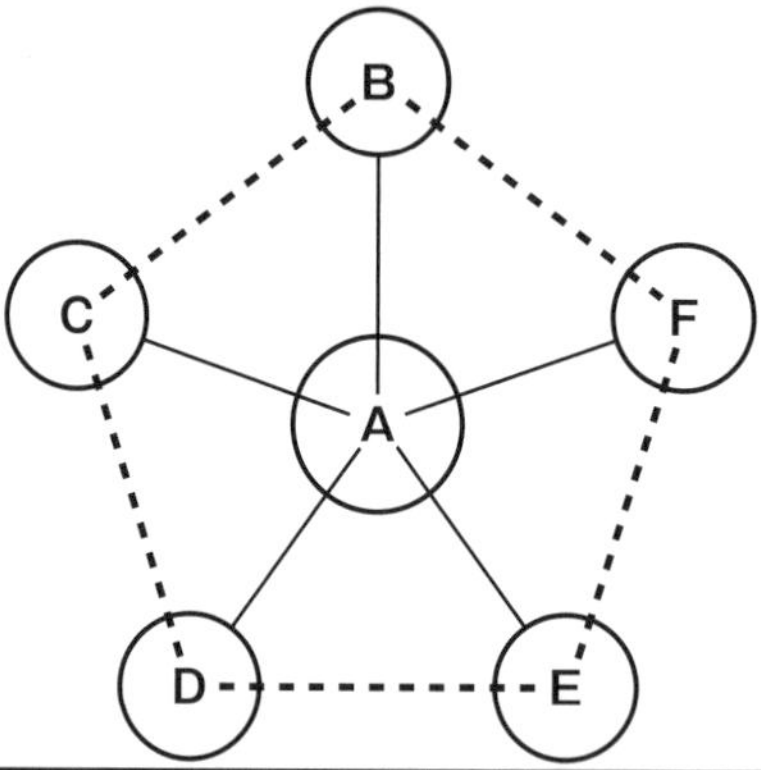


リーダーの役割はメンバー1人ひとりの能力を引き出すこと

図23をご覧ください。こちらは中国型のチームワークを図式化したものです。図形の中央にチームリーダーのA氏がいます。リーダーであるA氏からB氏へ、同じくA氏からC氏へ、それぞれ仕事が振り分けられます。この点は同じです。

メンバーの1人ひとりは与えられた仕事の完成に全力を尽くします。自分の能力をフルに発揮して与えられた責任を果たします。リーダーは1人ひとりの進捗状況を管理して指導を行います。アドバイスや指導だけではなく、時にはプレッシャーを与えたり、厳しい進捗チェックがあったり、監視を行うこともあるでしょう。

ここではメンバー間の「ホウレンソウ」は期待されません。リーダーとそれぞれのメンバーとの間に「ドーナッツ」があり、両者の間で

「成果」と「報酬」の関係も明確になっていると言えるでしょう。与えられた仕事に集中し、決められた期日までに確実に仕事を仕上げることだけが要求されます。

リーダーに求められている役割は、個人能力を徹底的に引き出し、１人ひとりに能力を十分発揮させて、全員から仕上がってくる仕事をひとつに取りまとめることです。

# リーダーに求められる役割の違い
## ～優劣を問うのではなく、組織の中でどう活かすかが重要～

日本型チームワークと中国型チームワークの違いを見てきました。日本ではメンバーの１人ひとりが組織の一員としての自覚と責任でチームに貢献することを基本に仕事に取り組みます。一方、中国では会社や組織に対する帰属意識は低く、自分に与えられた仕事に対して、自分の責任を果たして結果を出すという考え方が強いのが特徴です。どうやら中国企業と日本企業とでは、チームワークの形やリーダーが果たすべき役割に根本的な違いがあるようです。

ここでリーダーが果たすべき役割をもう一度整理しておきましょう。

日本ではメンバー同士がお互いに常に連絡を取り合い、必要に応じて助け合ったり協力し合ったりしながら仕事を進めていきます。リーダーに求められる役割は、チームの全体力を引き出すことです。協力と協調を基本にメンバー全員のまとめ役、調整役となることが期待されます。全体を見渡して仕事の遅れや精度をチェックできるかどうか、チームとしての総合力の底

**図24 日本型チームワークと中国型チームワーク**

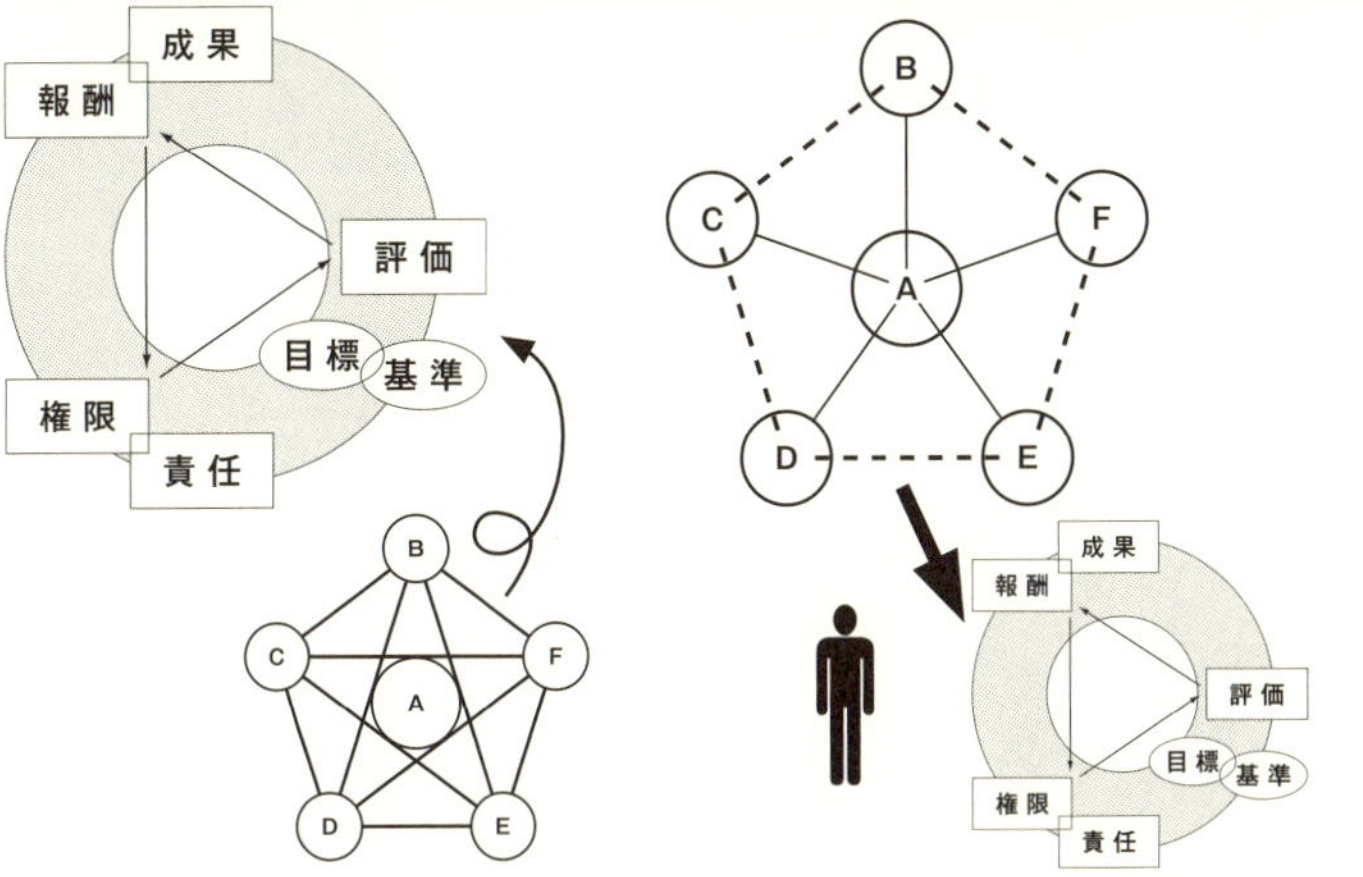


ドーナッツの中で回る日本の星型　リーダーとメンバーの間で回るドーナッツ

上げができるかどうかがポイントの1つです。

一方、中国型リーダーの役割は、個人の能力を徹底的に引き出し、メンバー1人ひとりに能力を十分発揮させて、全員から仕上がってくる仕事を1つに取りまとめることです。仕事を割り振ったメンバー1人ひとりが確実に自分の仕事を完成させられるように徹底的に指導し、アドバイスを与え、時にはプレッシャーを与えたり、監視したりします。信頼関係作りはチームとしてではなく、個人対個人の人間関係の構築が基本です。

リーダーとそれぞれのメンバーとの間に1つずつ「ドーナッツ」があり、両者の間で「成果」と「報酬」の関係も明確になっていると言えるでしょう。2人の間でそれぞれ「ドーナッツ」が回っています。

一方、日本の場合は、チーム全体が1つの星型図形となり、それが「ドーナッツ」の中を回っているとイメージしてみてください。

では、日本型チームワークと中国型チームワークではどちらがよいのでしょうか。実は、どちらが優れているかという議論はナンセンスです。どちらが優劣かという問題ではなく、形態の違うチームワークをそれぞれ組織の中でどう活かしていくかが重要です。

しかし、絶対に注意しなければならないポイントがあります。それは中国型チームワークに日本型のリーダーを入れることです。また、逆に日本型チームワークに中国型のリーダーを入れることもトラブルの原因になります。しかし、中国に進出している日本の現地法人では、意外とこうした点に注意を払っていないケースが多いようです。

日本から現地に赴任する日本人総経理は、「社員は助け合いながら」「会社のために全社一丸となって」「みんなで助け合って、みんなで頑張って」というように日本的な考え方を持ち込むケースがよく見られます。

問題点の発見や現場改善に取り組む活動では社員の自主的な取り組みに期待したり、プロジェクトを遂行するため社員に協力し合う姿勢や協調性を期待したり、日本的な考え方をそのまま持ち込む例が少なくありません。しかし、日本型のチームワークの下地がないところにこの考えを持ち込むと、ほとんどのケースは失敗します。

逆に、時間をかけてやっと日本型チームワークができつつあるところに、中国型リーダーを採用すると同じように失敗します。優秀な社員を外部からヘッドハンティングして採用するケースもありますが、中国型リーダーか、日本型リーダーか、彼の資質や考え方、どんな仕事の進め方をする人物なのかなどの事前チェックが必要です。

どんな形のチームワークを作り上げるか、どんなタイプのリーダーを育てていくべきか、現地法人と日本の本社との間で十分な事前の意識合わせが必要です。現地法人でチームワークの形を1つの企業文化として育て上げていくためには、時間をかけて人を育てる長期的な取り組みが必要となります。

## 会社に対する「忠誠心」と個人への「忠義心」
### ～個人と個人の信頼関係の構築が基本～

日本人は長期安定雇用が前提にあり、会社に対して「忠誠心」を尽くし、会社に所属することで安定的な生活の基盤を作ります。これが1人ひとりの人生設計の基本であると言えるでしょう。

一方、中国人は残念ながら会社に対する「忠誠心」が希薄です。組織というシェルターに守ってもらうという意識は低く、「自分の身は自分で守る」という姿勢が基本です。会社という組織に自分の身を守るためのシェルター機能を期待しないのが中国人です。

しかし、ここで重要なポイントがあります。会社に対する「忠誠心」はあまり期待できないのが中国人ですが、個人に対する「忠義心」は強烈に発揮します。個人と個人の関係を重視し、一度良好な人間関係ができあがると上司や仲間のために強力な「忠義心」を発揮するのが中国人です。

図25　会社の「忠誠心」、個人の「忠義心」

中国ビジネスを成功に導くポイントは、すべてここに集約されているのではないでしょうか。会社という枠を超えて、まずは個人と個人の信頼関係をしっかり構築することが重要なのです。

組織に所属して、会社を生活の基本単位と考えるのが日本人です。個人と個人との人間関係を重視し、それを基本にして仕事や生活を考えるのが中国人です。これはどちらが良いか悪いかという問題ではなりません。どちらが優れているかという問題でもなく、私たちはまずその違いを認識して、彼らと接する上での基本理解をしっかり持つべきではないでしょうか。

日本人は会社を「わが家」と考えて会社に対して強い「忠誠心」を発揮します。家族を大切に思う気持ちと同じように会社や組織に対しても強い「忠誠心」を発揮するのが日本人です。

ここでは意図的に「忠誠心」と「忠義心」という言葉を使い分けてみましたが、広い意味では「忠誠心」も「忠義心」も同じと言えるでしょう。

ここで中国人は会社に対する「忠誠心」がまったくないと言うつもりはありません。実際に会社に対する強い「忠誠心」を持って、日系の現地法人でばりばり働いている中国人を何人も知っています。たくさんの事例をヒアリングしてきました。

しかし、こうした事例も会社に対する「忠誠心」の前提には、強い信頼関係で結ばれた上司と部下という関係があり、その結果として会社に対する「忠誠心」が育ちます。まずはそこにベースとなる人間関係があるのです。

中国の現地法人で「忠誠心」を発揮して働いている中国人の事例も、そこに「忠義心」で結ばれた日本人上司がいるからです。つまり、会社に対する「忠誠心」を育てるには、やはり、まず個人と個人との関係を築くことが先なのです。「忠義心」で結ばれた人間関係が会社に対する「忠誠心」に発展していくと言えるでしょう。

「田中さんのためならどんな協力も惜しみません」という陳さん。彼は田中さんが転職しても、引き続き田中さんと付き合っていくはずです。仮に田中さんが会社をクビになっても、田中さんとの信頼関係は変わらないはずです。田中さんが所属している会社との関係ではなく、田中さん個人と向き合って人間関係を築き上げてきたからです。

中国人は会社に対する「忠誠心」は希薄ですが、個人に対しては大変強い「忠義心」を発揮します。ここが中国人とうまく付き合っているための最も重要なポイントであり、本書でみなさんにお伝えしたい重要なキーワードです。ぜひ、このページをいつでも読み返せるように端を折ってマーキングしておいてください。

## 「社員管理のドーナッツ」と「タマゴ型コミュニティ」
### ～アンテナの感度を調整し、立ち位置と距離感を意識せよ～

ここで振り返っていただきたい図形が2つあります。1つは「タマゴ型コミュニティ」です。そして、もう1つは「社員管理のドーナッツ」です。話を進める前にもう一度この2つの図形を思い出して、イメージしていただきたいと思います。中国人とビジネス面でもプライベートの関係でも互いの関係を深めていく上で極めて重要なポイントが濃縮されています。

1つ目の図形は「タマゴ型コミュニティ」です。ポイントは徹底的に個人と個人の人間関係を作ることです。会社に対する「忠誠心」を期待する前に、彼との信頼関係を築き上げることです。これはあなたに対する「忠義心」になり、会社を辞めず頑張って仕事をしてくれる社員を1人増やすことができます。

ただし、「八方美人」になって誰とでもタマゴの関係を作るほうがいいわけではありません。あなたにとって重要なポイントの1つは「見極め」です。

図26　社員管理のドーナッツ

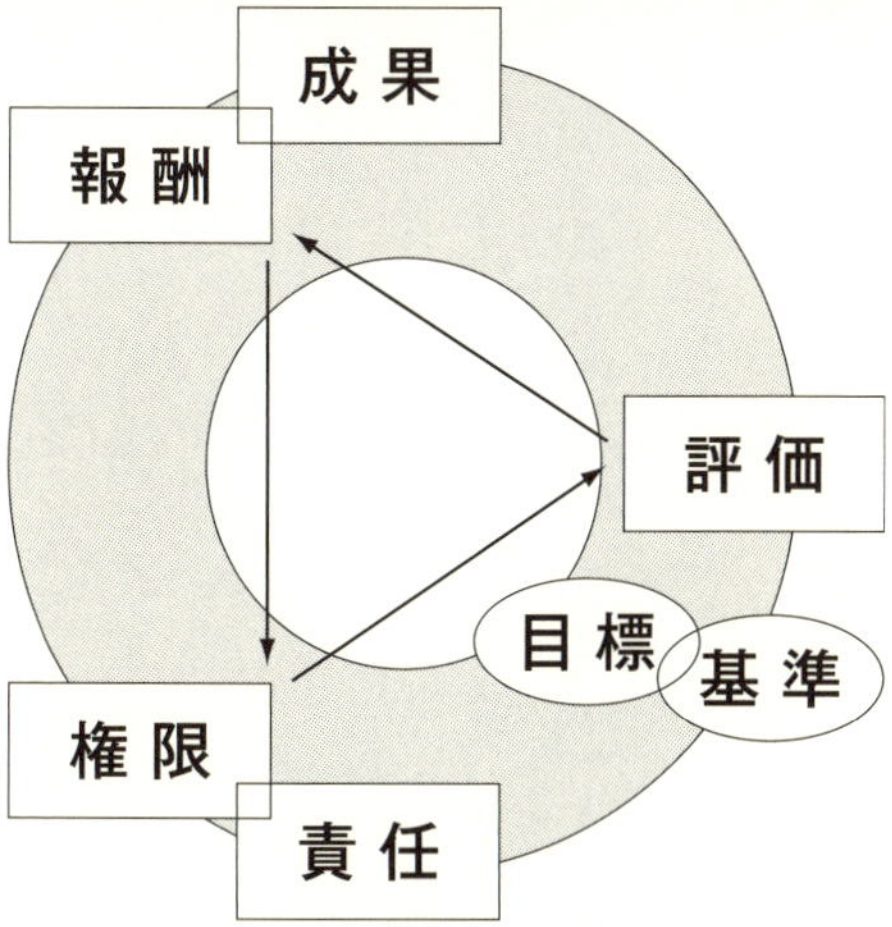


図27　タマゴ型コミュニティ

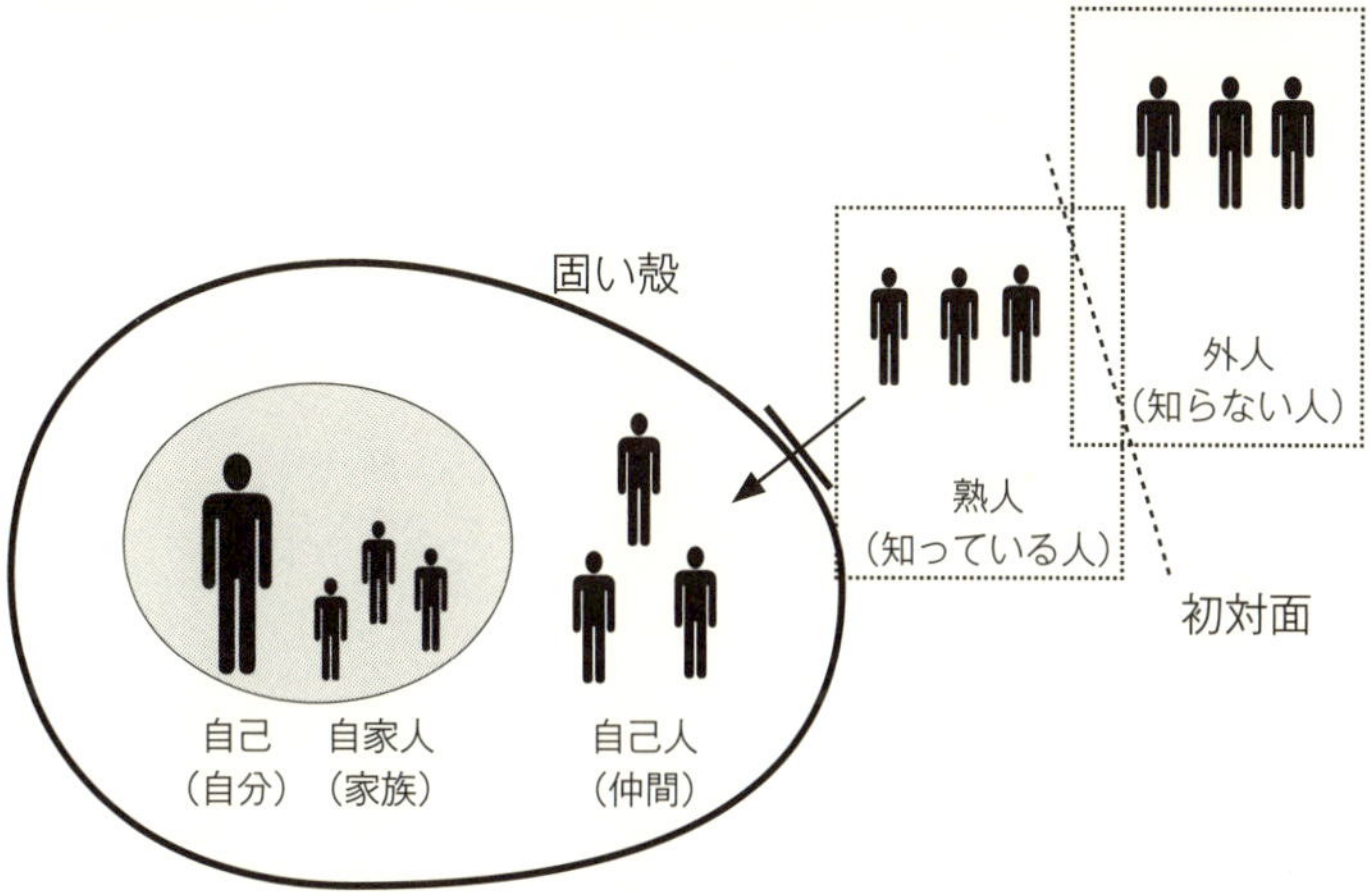

ビジネスではすべての人とみんな仲よくということはあり得ません。人の見極めのために常に精度の高いアンテナを張り、自分自身で感度を調整しておくことが必要です。

「社員管理のドーナッツ」では、「権限」「責任」、「目標」「評価」「基準」、「成果」「報酬」という7つの言葉を意識することが重要であると述べてきました。社員を採用するとき、社員のモチベーションを高めて頑張って仕事をしてもらいたいとき、社員に注意を与えるとき、転職したいという社員に接するときなど、この7つのキーワードは中国人社員と接する上で重要なポイントとなります。

また、日本人は会社の中でこの7つの言葉をそれほど強く意識していない社員が多いようです。権限や責任、評価の基準、成果と報酬の関係が曖昧なままで、時には「会社のために頑張ろう」「組織のため、チームのため」という自己犠牲の上に成り立つ「忠誠心」がベースにあります。

中国人と接するときには、ドーナッツと7つのキーワードを意識してみてください。日本側から徹底的に意識してみることで、これまで見えにくかった中国人の考え方が見えてくるはずです。

定着率を上げて、会社を辞めないように社員に頑張って働いてもらうためには、「社員管理のドーナッツ」をしっかりイメージしてください。社員1人ひとりに7つの言葉を当てはめて、その1つひとつに「破綻」がないかどうか、具体的に考えてみることが重要です。会社を辞める社員は、この7つの言葉のどこかが「破綻」しています。

また、「ドーナッツ」と「タマゴ」のどちらの方法で接した方がいいかは二者択一ではありません。「ドーナッツ」で管理する相手と「タマゴ」の関係に踏み込む相手を、どこでどう見極めたらいいか、あなたの判断と見極めのポイントが重要になります。時にはドライに割り切って徹底的に「ドーナッツ」で人を動かし、時にはウェットな関係を重視して「タマゴ」型の関係を重視します。また、この2つをバランスよく取り入れたハイブリッド型で中国人に接する方法もあります。

これらを実践するためには、「今自分がどの方法で接しようとしているか」「彼とはどのくらいの距離にいるか」という点を常に意識しながら接してみてください。アンテナの感度を調整して、立ち位置と距離感を意識することが重要です。

# 第5章

## 禁止項目と禁止フレーズ

## 絶対やってはならない禁止項目①「人前で叱る」
### ～中国人の面子をつぶすのは、深い恨みを買うことに～

中国人と接する上で絶対にやってはいけない行為があります。禁止4項目としてまとめました。禁止項目とは、「人前で叱る」「謝らせる」「一方的な指示」「反論に反論する」の4つです。特に中国人の同僚や部下を持つ日本人ビジネスマンのみなさんに注意していただきたいポイントです。

禁止項目の最重要ポイント、絶対に行ってはいけないことの第1番目は「人前で叱る」という行為です。これは相手の「面子」をつぶすことになります。本人に「非」がある場合や注意を与えなければならない場合でも、人前で叱る行為は厳禁です。これまで培ってきた信頼関係が一気に崩れ去り、本人のために注意を与えたつもりが相手の「面子」をつぶしてしまい、逆に恨みを招くこともあります。

日本語にも「面子をつぶす」「面子をたてる」「面子がない」といった言葉があります。こうした言葉の使い方は日本語でも中国語でも同じです。中国人はとても「面子」を気にします。人前で恥をかかされたり、面子をつぶされたりすることは日本人でも嫌なことです。中国人に限ったことではありません。

しかし、日本人と中国人とでは決定的に違うことがあります。それは「面子をつぶされた」ときに感じる本人の「深刻さ」です。中国人が「面子をつぶされた」と言うときの彼の受け止め方と、日本人が「面子をつぶされた」と言うときとでは、受け止め方の感覚に大変大きな差があります。面子をつぶされた中国人は、日本人の想像をはるかに超える深刻な受け止め方をしているはずです。

日本語には大変便利な言葉があります。「水に流す」という言葉です。日本人は「罪」に寛容な民族です。誰かが何かの「罪」を犯しても、本人の謝罪があればその謝罪を受け入れて、「罪」を許すことができる文化です。

「水に流す」「済んだことはもういい」「やっちゃったことは仕方ない」という気持ちで「罪」を許し、「気持ちを切り替えて」「新たな気持ちでミスを繰り返さないように」「心機一転」といった言葉に代表されるように、気持ちをうまく切り替える方法を身につけているのが日本人です。何かしらのきっかけを作り、「罪」をリセットしてやり直すことができるのです。しかし、こうした考え方は中国人には通用しないと考えたほうがよいでしょう。

また、日本人は「禊《みそぎ》」や「けじめ」という言葉をよく使います。たとえば、政治家が政治献金で有罪判決を受けて議員を失職しても、次の選挙でまた当選すれば「禊を受けた」「けじめをつけた」といってまた議員の仕事を続けることになります。「有罪」か「無罪」かという裁判の結果とは別に、「禊を受けた」とする議員は、過去の「罪」がまるで清算されて消えてしまったようです。

しかし、中国人には「水に流して」「済んだことは仕方ない」という考えは通用しません。一度でも彼の「面子」をつぶしてしまうと、そのしこりが長い時間残ります。極論を言うと、一度でも人間関係に亀裂が入ると、永遠に消えません。日本人のように「いつまでも済んだことを言うなよ」とか、「昔の話を繰り返すなよ」という気持ちの切り離しができないのです。「面子」をつぶされることは彼にとってそれほど重大な行為です。このことの重大さを意識しないで中国人の部下をつい叱りつけてしまう日本人がいますが、注意が必要です。もちろん上司と部下であれば、叱りつけることも、厳しく注意を与えることも、アドバイスがつい強い口調になってしまうこともあるでしょう。

これは叱ることがいけないのではなく、注意の仕方の問題です。注意を与えるときは必ず一対一で行うべきです。相手の「面子」をつぶさないように、人前ではなく会議室やミーティングルームなどふたりきりになれる場所で行うことが基本原則です。

# 絶対やってはならない禁止項目②「謝らせる」

## ～「中国人はなぜ謝らないのか」、その理由と背景を理解する～

禁止項目の2つ目は「謝らせる」という行為です。基本的によほどのことがないと自ら「謝る」という行為をしないのが中国人です。自分のほうから「すみません」とか「ごめんなさい」と言いません。日本人はまずそこを認識し、なぜ中国人は謝らないのか、その理由と背景を理解して彼らと接していかないと、必要以上に自分自身にストレスを溜めることになります。

一方、日本人はミスを犯したとき、まず「すみません」という一言からコミュニケーションが始まります。どんなミスなのか、本当に自分に「非」があるミスなのかという以前に、「周囲に迷惑をかけたことに対する気持ち」を伝えるために、まずは「すみません」という言葉を使います。「すみません」という言葉は、「謝罪」というより、その後のコミュニケーションを円滑にするための一言です。

また、相手に対しても「まずは謝れよ」「謝ることが先だよ。まず謝ってからこれからどうするかゆっくり考えようよ」とか、「謝っちゃったほうが楽だよ」「謝ったほうが得だよ」といった言い方をすることがあります。問題点の本質と「謝る」という行為とを切り分けて考えているのです。

同時に、「すまない。俺が悪かった」と潔く罪を認めた人に対して、日本人は大変寛容です。潔く罪を認めることはよいこと、潔さはカッコいいことと考える風潮すらあります。日本人は罪に寛容で、弱者や敗者に優しいことも大きな特徴です。

日本語に「判官びいき」という言葉があります。強い者より弱い者に声援を送るのが日本人です。「勧善懲悪」型で強いものが圧倒的に強いのがアメリカンヒーローです。スーパーマンやランボーが典型です。一方、日本では兄に理解されないまま不遇の死を遂げる源義経に同情や声援が集まります。仇討ちの本懐をとげて、最後は切腹させられる「忠臣蔵」の大石内蔵助に大きな拍手を送るのが日本人です。

弱者や一度敗北を認めた者に対して世間からは多くの励ましや同情が集まり、救いの手が差し伸べられます。弱者や敗者を暖かく見守り、優しく手を差し伸べることが「美徳」と考えるのが日本人なのです。

一方、中国は弱者や敗者に厳しい文化です。中国では王朝が交代になるとき、前王朝の一族は徹底的に迫害されます。一族が皆殺しになるケースもたびたびありました。敗者を暖かい目で受け入れ、癒しの手を差し伸べるのが日本ですが、中国の社会では敗者をこれでもかというほど徹底的に叩きつぶし、死者にさえ鞭打ちます。敗者の傷口を抉じ開けて、塩をすり込む輩が群がり、敗者を徹底的に叩きつぶすのが中国流です。中国の歴史がそれを物語っています。

つまり、「謝る」という罪を認める行為に対して、中国人は日本人ほど寛容ではないのです。謝る本人だけの問題ではなく、自分が所属するコミュニティにまで影響が及び（詳しくは62ページを参照）、自分が大切にする仲間や家族まで巻き込んでしまうことを彼らは本能的に知っているのです。長い歴史から学び取ってきた肌に染み付いた皮膚感覚の自己防衛本能を持っていると言えるでしょう。「謝る」という行為を中国人は決して簡単に行いません。

日本人は「まずは謝れよ」と迫りがちです。これは周囲に迷惑をかけたことに対するお詫びの気持ちを示せという意味です。しかし、問題の原因やその背景、物事の本質を見極めるまで中国人は謝りません。つい謝らずに言い訳ばかりする中国人を「屁理屈が多い」「言い訳ばかり達者だ」という見方をしてしまいます。

しかし、必要以上に謝罪だけを要求することは意味がないことです。謝罪させるのが先ではなく、謝罪を要求することに至ったポイントを整理して、なぜ彼らは謝ろうとしないのかをしっかり考えてみるべきです。逆に日本人のほうがいろいろな意味で「すみません」を連発し過ぎるのではないでしょうか。日本人は「すみません」を安売りし過ぎです。

## 絶対にやってはならない禁止項目③「一方的な指示」
### ～「言ったつもり」「わかっているはず」に要注意～

禁止項目の3つ目は、「一方的な指示」です。「とにかくやりなさい」「まず始めなさい」といったように結論だけを押し付けることです。このような指示は、具体的にやるべきことが相手にきちんと伝わっていないというケースがよくあります。何のための指示か、この作業に対してどのような評価が行われるのか、具体的な説明が必要です。

日本人同士であれば、「言わなくてもわかるだろう」という暗黙の了解があります。ついつい具体的な指示を与えなくても、相手がこちらの意向を理解して、期待通りのことをしてくれると考えがちです。

しかし、中国人にこれは通用しません。もし、中国人に指示した通りの成果を期待するのであれば、十分に説明をする時間を設け、具体的な指示をするべきです。努力を惜しまずにしっかり指示を出せば、期待以上の結果を出してくれるのが中国人ではないでしょうか。

十分な指示や説明がないまま、つい「そんなこともできないのか」「そんなこともわからないのか」と思ってしまいます。十分な説明責任を果たさずに「文句を言わずやれ」「自分で考えてやれ」というケースもあります。

しかし、中国人とのコミュニケーションで「そんなこともわからないのか」という言葉は禁止フレーズです。「そんなこともわからないのか」ということに限って、きちんと説明をしていないことが多いようです。言葉不足な説明であるからわからないのであって、具体的な指示を与えて、きちんと説明すれば、期待通りの成果を出してくれるのが中国人です。「わかっているはず」「話したつもり」「言ったはず」という期待と思い込みで、日本側のほうで具体的な指示や説明をしていないケースが多いのではないでしょうか。

実は、これは「言わない」から「伝わらない」のです。「わからない」から「やってくれない」のです。逆に、しっかり伝えればちゃんとやってくれるのが中国人だと考えています。言えば期待通りの結果を出してくれるのが中国人です。「理解してくれているはず」という期待感はまず捨てて、「何を伝えなければならないか」「どこまでわかってくれているのか」という点をもう一度チェックしてみる必要があります。「言っていないこと」は「伝わっていない」と思ったほうがいいでしょう。

言葉にする努力を惜しまずにはっきり言えば期待通りの結果があるはずです。伝えるべき事柄をちゃんと言ったかどうか、それが伝わっているかどうかを自分たちのほうで再チェックしてみることをお勧めします。

もう1つ、「そんなことも言わせるのか」「自分で考えてやりなさい」というフレーズも注意フレーズです。一般的に中国人に自分で考えさせると、「自分流」に考えて、自分の都合のいい方向へ考えてしまう傾向があります。「会社のため、組織のため、チームのため、同僚のため」という発想が希薄なのです。自分で考えさせると「自分のため」を基本に考えてしまいます。これが中国人の「自分流」です。

「自分流」は大変危険です。自分の都合のいいように考えて、判断して、実行してしまうケースもあります。誰にも相談や報告なしに「自分流」で行動させるより、自分で考えさせる前に、むしろやるべきことをしっかり指示したほうが安全かもしれません。

「自分流」で考えさせていいかどうかのポイントは日本側の見極めが必要です。「会社のために」という発想が育ってきているかどうかがポイントでしょう。まずは「自分流」で考えさせる前に、1つひとつ丁寧に説明して指示を行い、やるべきことをしっかりやってもらうことから始めることをお勧めします。

## 絶対にやってはならない禁止項目④「反論に反論する」
### ～論点の迷走、言い訳の逆連鎖を避けろ～

お互いの意見が食い違うとき、反論すると必ずその反論が返ってくるのが中国人です。一般的に中国人は自己主張が強く、互いに譲歩点や妥協点を探りながら議論を進めるという考えが希薄です。自分たちのほうに非がある場合でも、自らミスを認めたり、自ら謝ったりすることは稀です。

何かの意見に反論すると必ず反論が返ってきます。その反論に反論をすると、またその反論が返って来ます。反論の応酬が続き、結果的に最初は何の議論だったのか、何を議論すべきだったのかを見失って、論点が迷走してしまうことがよくあります。

また、反論に反論をすると「言い訳」が返って来たり、それにまた反論をするとその反論がだんだん「屁理屈」になっていったり、マイナス方向に「言い訳」の連鎖が続いていきます。

以下は「言い訳」がマイナス方向に向かっていく逆連鎖の事例です。

陳さん（仮名）は今日も会社に遅刻をしてきました。彼の上司である田中さん（仮名）は、遅れて来た陳さんに注意を与えます。

「陳さん、遅刻してはだめじゃないか。今日で3日連続だぞ」と田中さん。

「交通渋滞でバスが遅れたんです。今日は特に混んでいました」

「渋滞はいつものことだぞ。もっと早く家を出て、1つ前のバスに乗ればいいじゃないか」

「1つ早いバスには間に合わないんです。家を出るのは7時半ですから……」と陳さん。

「それじゃ、もっと早く起きればいいじゃないか」

「そんなに早く起きれないですよ。うちの目覚まし時計壊れているんです」

「新しいのを買えばいいじゃないか」と田中さん。

「先月買ったばっかりですが、先週壊れちゃったんですよ」

「どうせ夜店かなんかで安いのを買ったんでしょう。もっといいのを買いなさい」

「この時計安かったけれど、ムーブメントは日本製ですよ。正確です」と陳さん。

「日本製のムーブメントといってもコピー商品じゃないの？」

「いいえ、保証書付のムーブメントで……」と陳さんの反論が続きます。

いかがでしょうか。典型的な「言い訳」の逆連鎖の事例です。

本来、田中さんがすべきことは、明日から遅刻をしないように陳さんに注意を与えることです。しかし、バスの話から起きる時間、時計をどこで買ったか、ムーブメントは日本製かどうか、というように、論点が本来議論すべきポイントから大きく外れていきます。

「売り言葉に買い言葉」という日本語がありますが、反論に反論されるとついまたその反論に反論してしまいます。その反論に対してまた反論してくるのが中国人です。その反論は「言い訳」になり、だんだん「屁理屈」になってきます。

結果的に本来議論すべきポイントを見失い、論点が定まらず、議論が迷走してしまうのです。

こうした「言い訳」の逆連鎖を避けるためにも、論点がかみ合わないときや建設的な議論ができないときは「反論には反論しない」というのが中国人とのコミュニケーションの鉄則です。

反論したくなったらグッと堪えて、議論すべきことのポイントを常に意識し、論点を確認しながら議論を進めることが重要です。

## 中国人との議論は「三択方式」が有効
### ～5W1Hを使った質問は避け、具体的な選択肢を提示する～

反論に反論しないで議論を進めるにはどうしたらよいのでしょうか。筆者も中国人と議論する中で、何度も苦い経験をさせられてきました。「反論に反論しない」ということは、口で言うことは簡単ですが、実際のビジネス交渉の場面ではなかなか難しい課題です。

熱い議論になるとついつい感情的になって、「反論スイッチ」が入ってしまいます。一度スイッチが入ると反論に反論が続いて「言い訳」の逆連鎖に陥ってしまい、結果的に何の結果も得られない無駄な議論が続くことになります。

「言い訳」の逆連鎖を避けて、反論に反論しないで議論を進めるにはどうしたらいいか、私が実践している方法を簡単に紹介しましょう。ポイントは「三択方式」です。これは私自身が長年の経験から行き着いた中国人との円滑なコミュニケーションを図るためのテクニックの1つです。

三択の前に大切なことは、相手の主張を徹底的に聞くということです。聞く姿勢を相手に示して言いたいことを引き出し、さらにその相手の主張を1つひとつメモします。メモを取るときには、相手の主張の内容を分類して、ポイントを仕分けしてみることをお勧めします。

3つぐらいのキーワードを考え出して相手の主張をノート上で分類してみます。たとえば、商談であれば、「納期について」「品質について」「価格について」など分類のキーワードはそのときの話のテーマから選び出します。相手が主張を出し尽くしたところで、その中から議論すべき内容の優先順位を探っていきます。

この順位を探る過程で有効なのが「三択方式」です。「納期について、品質について、価格について、どの点が最も重要ですか?」というように「三択方式」で聞き返します。どのポイントから議論を深めたいか、相手にとって重要度が高いポイントを確認するのです。

もし、「品質」が重要ポイントであれば、またさらに「品質」に解する相手の主張の聞き取りです。相手の主張がひと通り出尽くしたところで、また優先順位を「三択方式」で確認します。「品質指導、出荷検査、ＱＣ活動について、どの点を最も重要だと考えていますか?」といったように、また「三択方式」で相手に聞き返して、重要ポイントを探っていく方法です。時間がかかる方法ですが、中国人とのビジネス折衝には欠かせない手順です。

もう1つのポイントとして、中国人に質問をしたり、意見交換をしたりするときにオープンクエスチョンはできるだけ使わないことです。つまり、5W1Hを使った質問をできるだけ避けてコミュニケーションをしたほうが効果的です。「三択方式」で議論を進めるテクニックです。

もちろん、お互いの意識を深めたいときや1つのテーマで徹底的に議論をしたいとき、ブレーンストーミングをするときは別です。オープンクエスチョンを使わないというのは、ビジネス折衝や交渉ごとで相手の考えをいち早く引き出したり、こちらの主張を相手に対する意見を求めたりする場合です。

たとえば、ビジネスシーンではなく、身近な場面で具体的な例を挙げてみましょう。

友人の蔡（仮名）さんを食事に誘います。彼を食事に誘うときに「蔡さん、今日は何が食べたいですか?」とか、「蔡さん、どこへ行きたいですか?」というのがオープンクエスチョンを使った聞き方です。「何」「どこ」「いつ」という疑問詞を使います。

「三択方式」というのは、「蔡さん、日本料理と中華とイタリアンとどれが好きですか?」というように最初から選択肢を示す方法です。「何が食べたいですか?」という疑問詞を使った聞き方をしません。もし、彼が日本料理を選んだら、今度は「それじゃ、お寿司としゃぶしゃぶと蟹料理とどれが好きですか?」というようにまた選択肢を示して、選択の幅を絞り込んでいきます。

もちろん、「鍋料理が食べたいです」とか、「やはり韓国料理がいいです」というようにこちらの選択肢とは違う答えが返ってくることもあるでしょう。「そうですか。それじゃ、寄せ鍋と鳥鍋とちゃんこ鍋とどれがいいですか?」とか、「韓国料理ですか。カルビの美味しい店とユッケが有名な店と冷麺が人気の店と、どれがいいですか?」というように選択肢で対応していきます。

その場合、相手がどんなものが好きなのかをある程度予測して選択肢を考えることができたらベストです。相手の好みについて事前に情報収集をしておくことも必要かもしれません。相手が希望することを先回りして提案できれば、理想的な形です。

逆に、手持ちの情報や知っている店、予算内での対応が可能かどうかなどもある程度準備をしておく必要があります。「何か食べたいですか」という質問をして、いきなり難しいアレンジを迫られるより、予めこちらでお勧めの選択肢を提示したほうがアレンジもしやすいというわけです。

これは強制的にこちらの選択肢を押し付けるのではなく、具体的な選択肢を提示してお互いの考えをチェックしながら少しずつ意識を深め、最後の答えを見つけるための「近道」を探す方法です。ぜひ一度試して見てください。コミュニケーションが大変スムースになるはずです。中国人とのコミュニケーションは「三択方式」がお勧めです。

## 絶対に言ってはならない禁止4フレーズ

### ～伝えるべきことは言葉でしっかり伝えるのが基本～

次に「禁止フレーズ」を取り上げます。ここで取り上げるフレーズは、中国人との間でコミュニケーションギャップが生じたときに、日本人がついつい口にしてしまいがちなフレーズです。みなさんも経験があるのではないでしょうか。

「以心伝心」という言葉があります。言葉にしなくてもお互いの考えを理解することができること、「心を以って心を伝える」という意味です。お互いの共通認識、暗黙の了解の上にコミュニケーションが成り立っています。

また、日本語には「阿吽《あうん》の呼吸」という言葉もあります。特にその道を極めた職人の世界や気心が知れあった仲間の間では、言葉を交わして改めて確認することなく、お互いのやるべきことやそのタイミングが体に染み付いています。言葉にしなくても通じ合うことが評価される文化を持っているのが日本です。

しかし、中国では「以心伝心」は通用しないと心得ておくべきでしょう。いや、「以心伝心」は厳禁と言えるのはないでしょうか。伝えるべき事柄は、言葉でしっかり伝えることがコミュニケーションの基本です。当たり前のことですが、実は伝えるべき事柄を1つひとつしっかりと言葉を使って伝える努力をするべきです。

**①「言わなくてもわかるだろう」「そんなこともわからないのか」**

やってほしいことや期待していることを本当にちゃんと伝えているでしょうか。「言ったつもり」「伝えたはず」「わかっているはず」という思い込みはないでしょうか。日本側が「言った」「伝えた」と思っているだけで、実は中国側に「伝わっていない」ことがあります。

言葉にする努力を惜しまずにはっきり言えば期待通りの結果があるはずです。伝えるべき事柄をちゃんと言ったかどうか、それが伝わっているかどうかを自分たちのほうで再チェックしてみることをお勧めします。

**②「そんなこと当たり前だろう」「そんなことは常識だ」**

みなさんが「当たり前」だと思っていることが本当に「当たり前」でしょうか。遅くまで残業して仕事をすることが「当たり前」でしょうか？　同僚の仕事が終わらなかったら手伝うことが「当たり前」でしょうか？　業務は助け合うことが「当たり前」なのでしょうか？（187ページを参照）「報告」「連絡」「相談」は行われることが「当たり前」なのでしょうか？（202ページを参照）

みなさんが「常識」だと思っていることが実はそうではないことがあります。「そんなこと当たり前だろう」と言いたくなったら、なぜ「当たり前」なのか、中国人にどう伝えれば理解してもらえるか、「当たり前」じゃないとしたら、彼らとどう接するべきかをもう一度考えてみることをお勧めします。

### ③「自分でよく考えろ」「そんなことまで言わせるのか」

日本では「技術は自分で盗むもの」と言う考え方があります。特に技術者や職人の世界では技術は教わるものではなくで、自分から課題を見つけ出し、それを乗り越え、自分自身で学び取るという姿勢が重視されます。学ぶ側の意識を高めて、社員自らの「気づき」を起こさせるわけです。

もちろん、これは社員を教育するためには必要なことです。しかし、中国人に対して「自分でよく考えろ」という指示は、物事を「自分流」で考えて、「自分流」で進めていってしまうという危険性を孕んでいます。

中国人の「自分流」とはプラスかマイナスかを自分の基準で判断することです。つまり、時には「会社のため」「組織のため」「チームのため」という発想ではなく、「自分のため」という発想を優先させてしまうことがあるので要注意です。

### ④「日本だったら……」「日本人なら……」「日本企業では……」

どうしても日本人は自分たちが仕事をしてきた環境や企業文化を基本に物事を考えてしまいます。日本との比較は相手に対して「上からの物言い」「高飛車な態度」「傲慢さ」という印象を与えてしまうことがあります。

特に、中国の現地法人では日本的な考え方が十分理解できず、「日本人が、日本人だけで、日本人の都合のいいように、何でも決めている」というように考えてしまう傾向があるようです。

日本との比較ではなく、まず具体的に何をどうして欲しいかというポイントを整理して、それに落とし込んだ指示を明確に伝えるべきです。具体的な指示を１つひとつ丁寧に伝える努力が必要です。日本人や中国人という枠を超えて接してみることをお勧めします。

**◆こう言いたくなったら、ぐっとこらえてちょっと待って！（禁止フレーズ）**

**①「言わなくてもわかるだろう」「そんなこともわからないのか」**
言わないとわかりません。言わないからわからないのです。しっかり伝えると、期待通りの結果を出してくれるのが中国人です。

**②「そんなこと当たり前だろう」「そんなことは常識だ」**
「当たり前」だと思っていることが実は「当たり前」ではないことがあります。自分たちが「常識」だと思っていることを一度考え直してみましょう。

**③「自分でよく考えろ」「そんなことまで言わせるのか」**
中国人は「自分流」で考えてしまうことがよくあります。「自分流」は危険です。考えさせるより、的確な指示を与えたほうが安全です。

**④「日本だったら……」「日本人なら……」「日本企業では……」**
日本との比較を持ち出すことは思わぬ反感を買うことがあります。やるべきこと、やって欲しいことは、１つひとつ丁寧に言葉で伝えるべきです。

# 第6章

## 中国人とのビジネス折衝

## 「契約は努力目標にすぎない」と考える中国人

### ～状況の変化による「よりよい方向」への修正は当然？～

中国ビジネスを理解するためのキーワードの1つに「契約は努力目標」という言葉があります。「契約は努力目標？　それはおかしいんじゃない？」と日本人なら誰もが思うキーワードです。しかし、こうした中国人の理解しにくい考え方や物事の進め方、そしてその背景にある彼らの価値観を知っておかないと本当の意味で中国人を理解することはできません。

「契約」や「約束」は守ることが前提で交わされることであり、「努力目標」ではありません。守ることが当たり前であり、相手にも守ってもらう前提で「契約」が交わされるはずです。もし、それが守られなかったら、契約違反になり、日本人が「裏切られた」「騙された」と思うのも当然でしょう。しかし、中国ではこうした日本的な常識が通用しないことがあります。

中国人にとって「契約」とは、その「契約」を交わす時点で最良の方法だと思われることを、「契約」を交わす時点に文書に書き記したものです。つまり、「契約」を交わした後で状況が変

**図28 契約は努力目標**

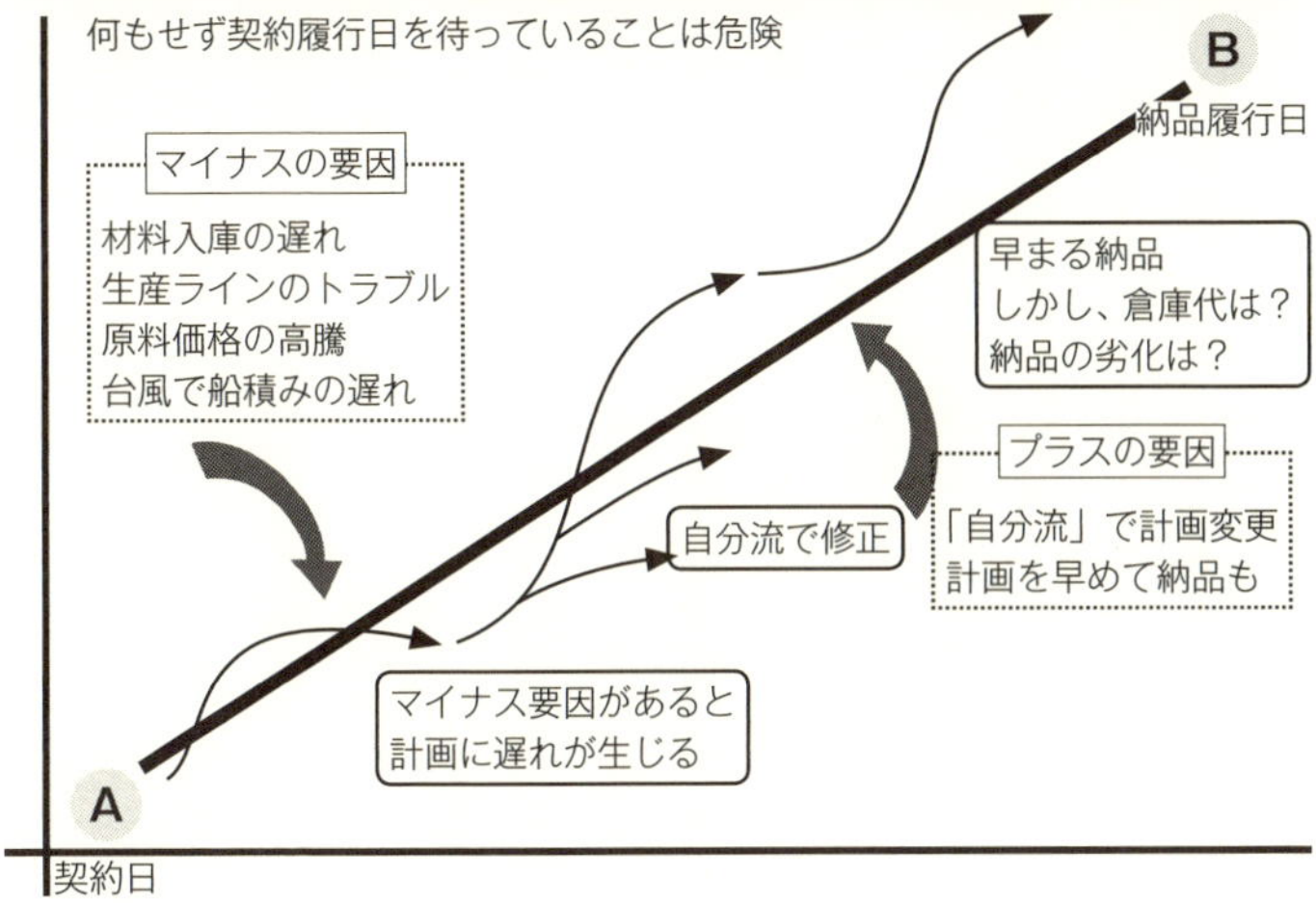


化していけば、「よりよい方向」へ見直しを行っていくことは当然であると考えるのです。

彼らは刻々と変わる状況の変化に応じて、その場その場でフレキシブルにスピーディーに対応策を講じていきます。環境や状況の変化に応じて、臨機応変に対応する能力に長けているのが中国人です。時代のニーズや情勢をすばやく察知して、変化に即して、「よりよい方向」へどんどん対応を変化させていきます。

しかし、ここで大きな問題は、こうした対応策が日本側にとっても同じように「よりよい方向」であるかどうかという点です。実はそうでないケースがたくさんあります。彼らの対応策が日本側にとって「よりよい方向」とは言えず、逆にマイナスの結果につながることがあります。

たとえば、ある事例を考えてみたいと思います。ある電子機器メーカーが中国企業と取引契約を交わして、中国から製品に組み込む部品を輸入します。日本国内に付加価値の高い製品をアセンブルするラインを残していますが、キーコンポーネントの一部を除く部品の大部分は中国からの輸入に頼っています。

契約を交わして決められた期日までに予定通りの品物が届くかというと、ほとんどのケースで過度な期待は禁物です。中国側では材料入庫の遅れ、生産の遅れ、品質チェックの不備など、何かしらのトラブルが発生して、予定通り製品が届かないことがしばしばです。

こうした場合、中国側も対応策を講じますが、ほとんどのケースで連絡や報告がなく、対策は常に中国側の「自分流」です。契約履行までの過程を日本側からチェックしないで、結果を待っているだけでは、まず期待通りの契約の履行は望めないでしょう。急な材料費の高騰、電力制限、為替リスクなどの外部的要因を理由に、不可抗力として契約の途中で取引条件の変更を求めてくることもしばしばです。

逆に、中国側の生産が順調に進み、予定より早く出荷が可能になるケースもあります。出荷検査も順調に進み、製品が1カ月早く日本側に届けられます。中国側にとって予定の前倒しは「よりよい方向」への修正です。予定より納品を早めたことで、より積極的な責任を果たしたつもりでいます。

しかし、これは果たして日本側にとってよい結果と言えるでしょうか。納期遅れよりはまだましかもしれませんが、予定より早く届いた製品はどこに保管する？　倉庫の保管料は？　保管中の製品の劣化は心配ないか？　在庫品の会計帳簿上の処理は？など、仮に製品が早く届いても日本側が抱えることになるリスクも多いはずです。

早く届いたからといって日本側にとってそれがよい結果であるとは限りません。こうした点を気にせず自分たちの判断で進めていくのが中国人の「自分流」です。彼らの「よりよい方向」とは自分達にとって都合のよい「よりよい方向」で、これが日本側にとっても「よりよい方向」で一致しているとは限らないのです。逆に、そうでないケースが実はたくさんあります。

結果的に、契約通りの結果が果たされないということになります。これが「中国人は信用できない」「中国人は理解できない」ということになり、「自分流」の解釈で契約の内容を変えてしまうことに対して、「中国人は契約を守らない」とか、「中国人は約束を破る」といった結果につながっていくわけです。

しかし、中国人は「約束を守らない」のではなく、日本側から「守らせるため」の工夫と努力が必要なのかもしれません。約束や契約を取り交わした後のプロセスで、彼らからの考え方や対応策が少しずつ変わっていく過程を日本側はもっと注意を払うべきです。実は、中国側は最初から「約束を破る」つもりで契約を交わすわけではないのです。

変化に敏感に対応して、フレキシブルにスピーディーにどんどん考え方やビジネスの進め方を変えていってしまうのが中国人です。日本人はこうしたプロセスを見ずに、結果だけを見て事前に決められた事柄が守られていないと、「裏切られた」「騙された」と感じてしまうわけです。

## 「議事録」もプラス思考で書き換えてしまう
### ～「よかれ」と思ったことが逆の場合もあるので注意～

これは日本人にとって「当たり前」と思っていることが、実はそうではないという事例です。中国人が「自分流」で物事を進めた結果、日本側にとっては逆にギャップを生む結果になってしまうという1つの事例を紹介します。

鈴木さん（仮名）は取引先の王さん（仮名）と重要案件についてミーティングを行っています。スムースに打ち合わせが進み、今日の話し合いはここまでにして食事に行くことにしました。今日のミーティング結果については、翌朝「議事録」で内容の再確認をすることにして、夕方から2人で食事に行きました。中国ビジネスではミーティングの後で「議事録」を確認し合うのは基本中の基本です。

食事の後、ホテルに帰った王さんは「議事録」をチェックしてから寝ました。気になることがあったので時間をかけて内容を再チェックしました。

そして翌朝、「昨日のミーティング結果です。『議事録』の確認をお願いします」と言って、昨日のミーティングの「議事録」を鈴木さんに手渡しました。

しかし、この「議事録」のメモを渡すときに王さんは鈴木さんにこんなことを言いました。

「鈴木さん、これは昨日のミーティングの『議事録』です。内容を確認してください。でも、1つだけ聞いていただきたいのですが……。昨日の打ち合わせをした件ですが、寝る前にもう一度よく考えてみたんですが、実は、もっといい考えが思いつきました。私の思いついたアイデアを加えて、『議事録』を書き換えてみましたので、内容を確認してください」

王さんは昨夜ホテルの部屋で寝る前に思いついたアイデアを早く鈴木さんに聞いて欲しかったのでしょう。得意顔で説明を始めました。しかし、果たして、王さんが鈴木さんに渡したこのメモは「議事録」なのでしょうか？

「議事録」とはミーティングで話したことの記録であり、話した内容が忠実に反映されなければならないはずです。日本人にとっては「当たり前」のことです。

しかし、この王さんのアイデアは、昨日のミーティングで話し合った内容ではありません。王さんは寝る前に思いついたアイデアまでもこの「議事録」に書き込んできました。これが中国人の「自分流」です。王さんは決して悪気があったわけではなく、むしろ新しいアイデアを思いついたことは「すばらしいこと」と考えています。

中国人とミーティングを行う場合、「議事録」は必須です。ミーティングのテーマ、議論のポイント、お互いが主張する点、合意した点、できれば議論の過程から結果までを記録に残すことは大変重要です。そういう意味で王さんは「ビジネスパートナー」としては合格です。「記録を残す」ことを重要なことだと考えない中国人ビジネスマンもたくさんいます。

しかし、そんな王さんでもこうして「自分流」が出てきます。王さんが「よかれ」と思ってやったことが、日本的には「常識」から外れた行為であるという認識がまったくないわけです。もちろん、王さんが考えたアイデアが日本側にとって「よりよい方向」であるかどうかはまた別の問題です。双方にとって「よりよい方向」で一致していればいいのですが、そうではないという結果になることもたくさんあるでしょう。

## 約束厳守の3原則①「3つの没有《メイヨウ》」を言わせない
### ～仮説を考えさせればわかる、その中国人のビジネスセンス～

環境や状況の変化に対応して、フレキシブルでスピーディーな対応策を講じていくのが中国人です。しかし、この対応策を「自分流」で進めてしまうことが多く、彼らが修正する「よりよい方向」が日本側にとってもよい方向とは限らない場合があります。これが注意ポイントです。彼らが「自分流」で進めないように日本側から注意を払わなければなりません。

彼らは日本側を決して最初から「騙そう」と考えているのではなく、双方にとって「よりよい方向」とは何か、考え方や方向性の違いがしばしばミスコミュニケーションの原因になります。最初は小さなボタンの掛け違いが少しずつ大きく広がっていき、確認を怠ったままにしておくと最終的には取り返しのつかないほどのコミュニケーションギャップになってしまうことがあります。

では、契約や約束を守ってもらうためには、どのような点に注意したらいいのでしょうか？

**図29　約束厳守の3原則**

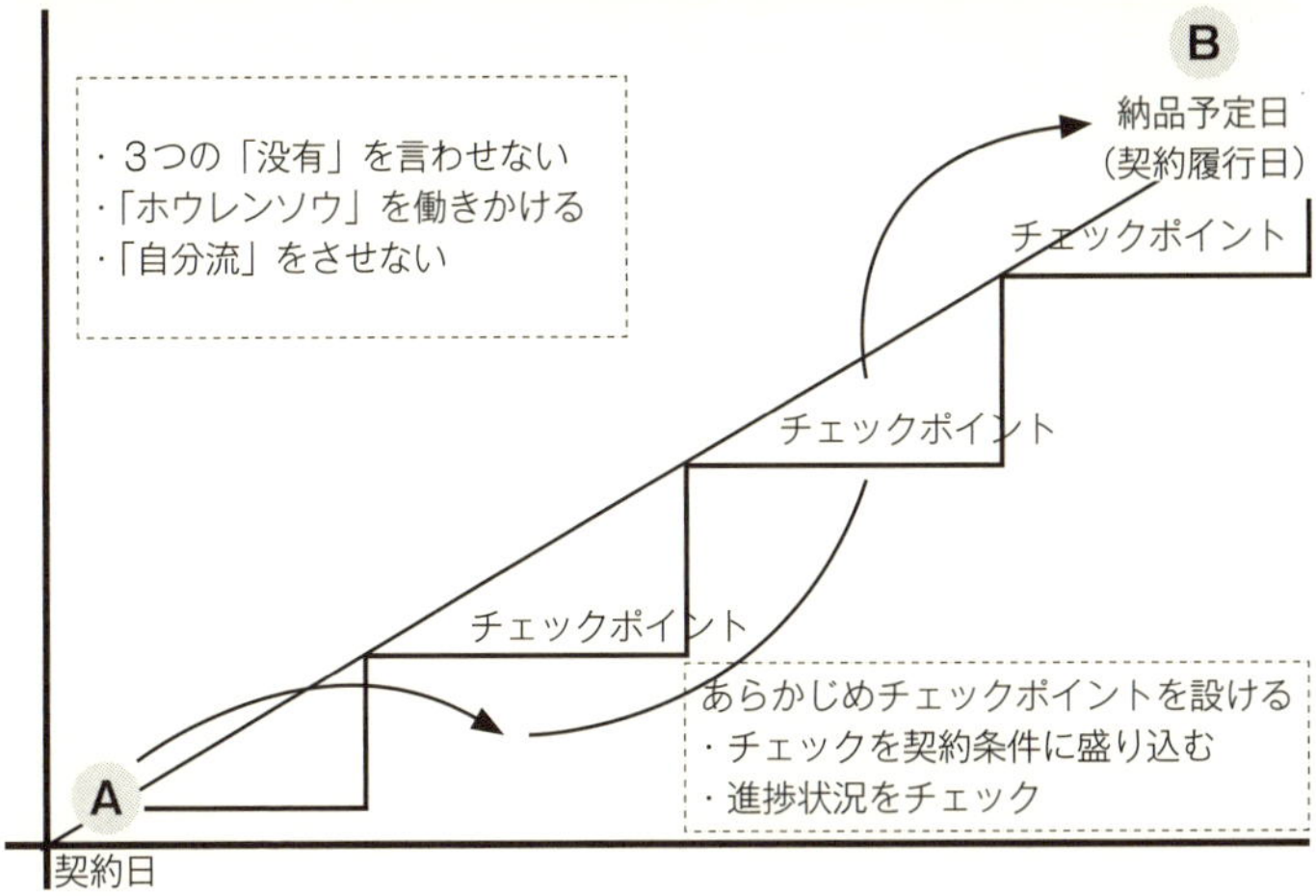


その対策のヒントが「約束厳守の3原則」です。契約や約束を守ってもらうために日本側から働きかけなければならない注意ポイントです。

「約束厳守の3原則」とは、第1に「3つの没有」を言わせない、第2に「自分流」をさせない、第3に「ホウレンソウ」の徹底です。

「3つの没有」とは、「没有問題《メイヨウウエンティ》」（問題ありません）、「没有関係《メイヨウクアンシー》」（大丈夫、気にしないで）、「没有弁法《メイヨウバンファ》」（どうしようもないです）の3つです（15ページを参照）。

「問題ない、問題ない」という中国人は必ず問題があります。「問題ない」と言わせずに、「問題があるとすれば、どこに問題が起こる可能性があるか」を考えさせることが必要です。本人が問題点の所在に気づいていないのか、問題点を認識しているのにそれを隠しているのか、こうした点に関しても日本側からの見極めも必要です。

万一、彼が問題の所在を故意に隠すようなタイプの人間なら、一緒に仕事をするパートナーとしては失格です。すぐに彼を外すべきでしょう。そうでない場合、「もし、問題が生じるとしたらどんなことが考えられる？」といった問題点の仮説を考えさせてみると、彼のスキルのレベルを知ることができます。仮説を考えさせてみること、これはけっこう効果的な方法の1つです。

そもそも中国人は「問題発見力」、つまり問題点を自ら見つけ出して、報告して、対処するという作業が苦手です。仮説を考えさせてみると、その本人のスキルがすぐにわかります。彼の経験、ビジネスセンス、問題の発見力、そして行動力を見ることができるのです。

仮説としての問題を見つけ出す能力があるか、問題を見つけだすことができないか、そもそも問題を見つけ出そうという意識が大切であるという「気づき」に気づく能力がないのか、彼の能力の限界を確認することができます。

問題点は「没有問題」（問題ありません）から「没有関係」（気にしないで）になる過程で見つけ出さなければなりません。なぜなら彼の口から「没有関係」が出てくる段階では、問題はすでにかなり深刻な事態になっています。そして、「没有弁法」（どうしようもないです）が彼の口から出たら、もう手遅れです。「3つの没有」を言わせないというのが第一の原則です。

# 約束厳守の3原則②「自分流」をさせない
## ～徹底的に「チェック」を繰り返すのが最善の方法～

「約束厳守の3原則」の第2ポイントは、中国人に「自分流」をさせないという点です。環境や状況の変化に合わせて、「よりよい方向」へどんどん修正を加えていくのが中国式の「自分流」です。しかも中国人の「自分流」には、会社のため、組織のため、チームのため、みんなのためという考えが希薄です。自分にメリットがあるかどうかという点を基準に、「自分のため」という視点で考えてしまうケースが多いようです。

中国人は個人個人では大変優秀でスキルが高く、能力がある人たちです。しかし、みんなで協力し、協調して、調整しながら、共同で作業を行うということは苦手です。それぞれが持っている個々の能力を発揮することは得意ですが、一般的にみんなで協力して組織力、チームワークで物事を進めることが苦手な人たちです。

それはチームの中でも自分の「権限」と「責任」を意識しながら、自分の能力を徹底的に発揮して評価を得ようとするのが、一般的な中国人の姿です。「権限」を与えられている中国人が、自分の「責任」を果たすために一生懸命働くことが、つまり会社のために貢献すること、組織やチームのために自分の力を発揮することです。つまり、組織の中で「権限」と「責任」、「成果」と「報酬」がわかりやすい形で直結しているのです。

一方、日本ではみんなで頑張った成果はみんなに平等に配分され、誰かがミスを犯してもそれを補いながら失敗は連帯責任でフォローし合います。個々に「権限」がどれだけ与えられているか、「責任」の所在が明確になっているかということより、みんなで助け合いながら仕事を進めることを重視します。

中国では「権限」と「責任」の所在を明確にし、個人の能力を最大限に発揮することが会社のために貢献することです。一方、日本では組織やチームの中で協力、協調、気配りがそれ以上に求められるわけです。

日本企業が求める優秀な人材とは、個人の尖がった能力より、小粒でも粒ぞろいのスタンドプレイをしない社員ということです。一方、中国では協力、協調、気配りよりも個人の能力が優先されます。中国で一流と言われる人材は、ある意味では日本企業では能力が発揮しにくい人材かもしれません。

ここでもう一度中国人の「自分流」を考えてみます。中国人の「自分流」には会社のため、組織のため、チームのためという発想が欠けていることが多く、その上、個人は会社を代表していないというケースがよくあります。

契約を結んだ後で、フレキシブルにスピーディーに「よりよい方向」へどんどん見直しや修正を加えていくのが「中国流」です。彼らが考える「よりよい方向」が、それが日本側にとっても「よりよい方向」への修正かどうかは要注意です。

たとえば、彼が提示してきた善後策が日本側にとっても「よりよい方向」であっても、やはり中国式の「自分流」でやらせることは危険です。「自分流」で追加の見直しや修正をどんどん加えていく可能性を秘めています。「自分流」でいかないように常に監視の目を光らせておく必要があります。

ポイントは、「チェック」です。「チェック、チェック、チェック」と徹底的に「チェック」を繰り返すことが「自分流」をさせない最善の方法です。

## 約束厳守の3原則③「ホウレンソウ」を徹底させる
### ～日本側から積極的に働きかけて、中国側に徹底させる～

中国式の「自分流」をさせないためには「報告」「連絡」「相談」のいわゆる「ホウレンソウ」を徹底させることです。これが「約束厳守の3原則」の3つめのポイントです。「ホウレンソウ」で現状把握と進捗状況のチェック、問題点の確認が必要です。「自分流」をさせないために、「3つの没有」を言わせないように、「ホウレンソウ」を日本側から中国側に積極的に働きかけるという点が重要なポイントです。

中国では社員1人ひとりが果たすべき役割や仕事の範囲が明確になっているため、直属の上司への報告は行われますが、社員同士の連絡やチームでの相談はあまり行われません。部署やチーム内で横の連絡を取り合い、相談して、協力し合いながら仕事を進めるという方法ではなく、与えられた仕事の範囲で自分の責任を十分に果たすという考え方が基本です。

日本では上司が部下を指導したり、ベテランが新人を指導したり、余裕がある人が仕事を抱えている仲間をサポートすることを「当たり前」と考えますが、中国では日本の「当たり前」が「当たり前」ではないことがたくさんあります。指導や教育が必要な場合でも、それは担当者が業務の一貫として「権限」と「責任」を明確にした上で指導や教育が行われます。もちろん、それに伴う「成果」と「報酬」も明確です。

「ホウレンソウ」は日本企業が生み出した日本独特の企業文化と言えるでしょう。また日本の風土で、日本人が持つ独特な仕事観や就業意識の中で実践されてきた仕組みだとも言えるでしょう。日本と同じように中国でも「当たり前」、中国人もできて「当たり前」と思うことに無理があるようです。

契約や約束を守ってもらうためには、日本側からこの「ホウレンソウ」を積極的に働きかけることが最も効果的な近道です。契約を済ませ、契約履行日まで黙って結果を待つだけでは、こちらが要求する結果はまず期待できないと思ったほうがよさそうです。

「契約違反」「契約不履行」という結果になる前に、中国側に対して何度も何度も日本側からの働きかけが必要です。多少負担の大きな作業になりますが、日本側から「ホウレンソウ」を積極的に仕掛けていくべきです。

契約や約束を守らせるためには、まずは現状把握が大切です。現状、問題点はないか、予定通りに作業が進んでいるか、作業が停滞していないか、確認を入れていきます。また、事前に予定していたチェックポイントに変更はないか、こうしたチェックポイントが守られているか、日本側から繰り返し報告と連絡を要求していきます。

せっかくチェックポイントを決めても、最初に打ち合わせをしておいたチェックポイントや基準が守られていないこともあり得ます。これは中国側が勝手に「自分流」で内容を変更してしまうことがあるからです。

また、「没有問題」（問題ありません）という報告は要注意です。「問題がないこと自体が問題」と考えて、問題点の発見を働きかけるべきでしょう。中国人は自ら「相談」を持ちかけてくることはまずないと思ったほうがいいでしょう。社内ではなく、仕事の取引先など外部の人間であればなおさらです。「自分流」で物事を進めてしまうからです。

一緒に問題に取り組んで、問題点を明らかにし、一緒に対処方法を考えていくためには、日本側から積極的に「相談」や「検討」「協議」を持ちかけることが必要です。契約の最終履行日にその結果を待っているのではなく、「ホウレンソウ」を徹底的にやらせる仕組み作りと日本側からの働きかけが必要です。

## チェックポイントを予め「契約書」に盛り込む
### ～中国側の「強み」を日本側が積極的に引き出す努力を～

契約や約束を守ってもらうためには、「約束厳守の3原則」が大切です。第1に「3つの没有」を言わせない、第2に「自分流」をさせない、第3に「ホウレンソウ」の徹底。これらを日本側から積極的にアプローチをする必要があります。

仕事を進めていく環境や状況の変化によって、その対応をどんどん変えていってしまうのが中国式の「自分流」です。そうさせないためには、中国側と連絡を取り合うことで現状把握、問題点の有無、進捗状況の確認を行っていく必要があります。

最も有効な方法は、「契約書」を取り交わす段階で「進捗状況の確認」という項目を予め設定して、「契約書」に盛り込むことです。契約書に具体的なチェック内容とチェックの時期、報告の仕方、連絡の方法などを明記した上で「契約書」を取り交わすのです。「契約書」を交わす段階から、契約内容の1つとして報告、連絡、相談が必須であることを相手にわからせることが大切です。

「契約書」に盛り込む内容が具体的であればあるほど効果を発揮します。たとえば、最終的な契約履行日が半年後であるとすれば、1カ月目、2カ月目、3カ月目に進捗状況の報告を義務化するとか、予めそのチェックポイントを取り決めておくとか、進捗状況や達成状況を常に報告させる仕組みを考え、報告を義務化し、それを予め「契約書」に盛り込んでおくわけです。

ただし、報告のためだけに仕事の工数を増やすことは避けるべきです。相手側の負担も考えて、予め報告や連絡のための「雛形」を準備しておいたり、記述方式をできるだけ避けて「数値」や「チェックシート」方式を取り入れるなど、負担を軽くするための工夫も必要です。双方で協議した上で、日常の作業の中で「数字」や「数値」で報告を無理なくスムースに行うにはどのようにしたらいいか、「契約書」を交わす段階で十分に検討するべきです。

また、仮にうまく「契約書」に盛り込めたとしても、担当者が現場に出向いて実態を把握する作業が必要になることもあります。先方が「契約書」に盛り込んだ内容通りに取り決めを守っているかどうか、必要であれば現地に出向いて、現場を見て、担当者と直接話をして、自ら現状把握と進捗状況の確認をしなければならないケースもあります。

重要な案件や先方との最初の取引では、こうした注意が必要です。日本側の負担工数や出張に必要な予算措置も予め考えておいたほうが無難です。

繰り返しになりますが、最終的な契約履行日にこちらが期待する結果を中国側が出してくれることはまずないと思っていたほうがよいでしょう。日本側から先回りして問題が発生しそうなポイントを洗い出し、予めチェックポイントとチェックの日程を契約書の中に組み込むことが中国ビジネスをスムースに進めるポイントです。

グローバルビジネスでよくWin-Winという言葉を使いますが、この意味を勘違いしている人が多いようです。「お互いの強みを活かして、それぞれが利益を得るために共同で事業を行う」という点では異存ありません。しかし、相手側が自分たちの「強み」を自ら積極的に提供してくれるかどうかは注意が必要です。むしろ日本側から相手の「強み」を積極的に引き出す努力が必要です。

「相手も同じ思いでこのプロジェクトに取り組んでくれているはずだ」「無条件で自分たちの強みを自ら積極的に提供してくれるはずだ」という思い込みは、ある意味では日本側の「甘え」です。ビジネスは真剣勝負の駆け引きです。相手の「強み」をどう引き出すか、日本側の積極的な努力と強い働きかけが必要なのです。

# 第7章

## 中国式テーブルマナーとお酒の飲み方

# 日本と異なるホストとゲストの席次に注意
## ～絶対にゲストを座らせてはならない「布ナフキン」の席～

基本的に中華料理に難しいテーブルマナーはありません。フランス料理のようにナイフとフォークの使い方に順序があったり、日本の茶道のようにたくさんの作法や決まりごとがあったりするような、特に注意しなければならない難しいルールはありません。むしろ、大きな声でおしゃべりをしながら、みんなで料理を囲んで賑やかに楽しく食事を楽しむことこそ重要なマナーと言えるのではないでしょうか。

ここでは食事の席での習慣の違いについて、日本人が理解しておきたいポイントの代表的な事例を挙げてみたいと思います。

まず、食事会の「席順」です。入り口に近いところは「下座」、遠いところが「上座」といった席の決め方は基本的に日本の場合と同じです。「上座」からの「席順」も基本的には日本の習慣と同じですが、中国の宴会の場合、ホスト役が最も「上座」の席に座って、ゲストをも

**図 30　中国人との食事会の席次**

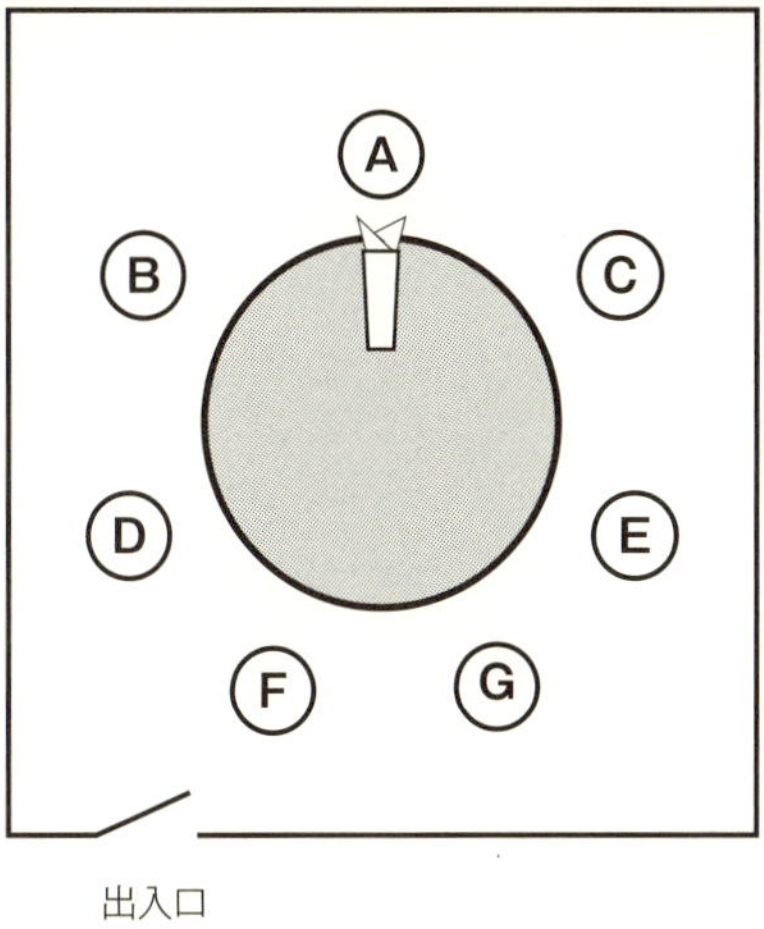


てなすというケースがあります（図30）。

この場合、Aの席がホスト1位の席です。ホストの右側のB席がゲスト1位、左側のC席がゲスト2位になります。ゲスト1位を最も「上座」の席に座らせるのではなく、この位置には自分が座って両サイドのゲストをもてなすのです。通訳が入る場合は、ゲスト1位の左隣に座らせるのが一般的です。

また、レストランの部屋に通されて席決めをするときに1つ注意したいことがあります。グラスに挿してある「布ナフキン」です。みなさんも目にしたことがあるのではないでしょうか。この席は何を意味しているのでしょうか？　実は、「ここがゲスト1位の方に座っていただくための上座の席」という意味ではありません。うっかりお客様をこの席に誘導しないようにしてください。

この席は「この食事会の費用を払う人の席」です。つまり、ホスト1位が座るべき席なのです。グラスに挿した「布ナフキン」は、「今日のホスト（スポンサー）は私ですよ」という目印なのです。「上座」の目印かと思って、知らずにうっかりここにゲストを座らせてしまうと大変なことになります。この席にゲストをご案内することは、「今日の食事会の代金は全部あなたが支払ってください」とゲストに支払いを強要する意味になります。グラスに挿した「布ナフキン」は、「上座」の目印ではないのでくれぐれも注意してください。

## ゲストへの料理の取り分けが食事会スタートの合図
### ～食事会が始まっていないのに食べ始めるのはマナー違反～

最初の料理が出てきたら、まずホスト役がゲストに料理を取り分けます。これが食事会スタートの合図です。みなさんが中国の方々を招いて食事会をする場合、ホスト役のあなたがうっかりこの最初の料理の取り分けをやらないでいると、他の中国人ゲストはみんな料理に箸がつけられません。ホスト役がゲスト1位に料理を取り分けて、ゲスト1位が食べ始めるのを待っているのです。注意してください。

地方の人民政府を招いた席でこんなことがありました。この日のゲスト1位は人民政府の副市長です。席についておしゃべりをしているうちに、彼は日本からの企業誘致策について熱く語り始めました。料理が運ばれてきても話が止まらず、しばらくは演説のような彼のおしゃべりが続きました。

ホストは日本側です。しかし、痺れを切らした何人かの日本人が運ばれてきた料理の中から、ピーナッツや冷やした蒸し鶏の料理などに箸を伸ばし始めました。これらは「冷盤《レンパン》」といって、メインの料理が出される前の「オードブル」です。演説が終わるのが待ちきれなかったのか、中にはビールのグラスを口に運ぶ人もいました。

しかし、中国側の出席者の中で誰1人として料理に手を出す人はいません。じっと副市長の演説を聞いています。そうしているうちに副市長の携帯電話がなりました。電話に出た副市長は席を立って、今度は携帯の相手と一言二言話しながら廊下のほうへ出て行ってしまったのです。

副市長の演説はやっと終わりましたが、今度は廊下に出て行った副市長がなかなか戻って来ないという事態になりました。廊下に出て、携帯電話で役所の関係者に何やら指示を与えているのです。

日本側は完全に痺れを切らし、オードブルをつまみ始め、「取りあえず乾杯」という雰囲気でビールを飲み始めてしまいました。一方、中国側は依然として誰も料理に手をつけようとしません。もちろんビールにも口をつけません。日本側が「先に食べましょう」といくら料理を勧めても、副市長が戻ってくるのをじっと待っています。

やがて副市長が戻ってきて食事会が始まりました。副市長は「本日はお招きありがとうございました」と短い挨拶をしてやっと食事会が始まりました。みんなで乾杯して、ホスト役がゲスト1位である副市長に料理を取り分けてやっと食事会がスタートです。ここで中国側の参加者も料理に箸をつけ始めました。

このエピソードから日本側は2つのことを学ばなければなりません。ホストが料理を主賓のゲストに取り分けるまで、ゲストであってもホスト役であっても、食事に手をつけないことがマナーです。日本側が勝手に飲んだり食べたりすることは相手方に大変失礼な行為です。

それから人民政府の人たちは上の人間が食事を始めるまで絶対に箸をつけません。副市長の熱のこもった演説を途中でやめさせるわけにはいかないと思いますが、できれば「まずは乾杯しましょう」とか「どうぞ召し上がってください」と言って、副市長に料理を取り分け、食事会をスタートさせてしまったほうがよかったかもしれません。美味しい料理や冷たいビールを前にして、箸をつけられないのは日本側も中国側も大変つらいことですね。

## 料理は全部食べずに少し残すのがマナー

### ～すべて平らげてしまうのは「まだ足りない」という意味～

中華料理の食事会ではテーブルいっぱいにたくさんの料理が並びます。ホスト役は食べきれないほどの料理を注文してゲストをもてなすことが普通です。ここでゲスト側が注意したい点が1つあります。それは出された皿の料理を全部食べてしまうことは、実は「マナー違反」です。

「お皿の料理を残してはもったいない」「せっかく出してくれた料理を残しては失礼」と思う人も多いのではないでしょうか。

しかし、料理を全部食べてしまうことは、実はホスト役の「面子」をつぶすことになります。これは実は「ゲストに食べきれないほどの料理を振る舞った」というホスト役の「面子」なのです。「残しては失礼」と思って料理を全部食べてしまうと、このホストの「面子」をつぶすことになるので要注意です。

筆者は「酢豚」が大好物です。このことを知っている友人は一緒に食事会に行くと、必ず「酢豚」を注文してくれます。筆者の「酢豚」好きはだんだん有名になり、最近では筆者が参加する食事会では必ず「酢豚」が出てくるようになりました。

筆者がこの「残すことがマナー」というルールを知らなかったときのことです。ある食事会で「酢豚」が好きだということを話すと、ホスト役はさっそく「酢豚」を注文してくれました。出された料理を遠慮なくいただいて、具の茹で方がどうの、揚げ方がどうの、食材がどうのと「酢豚」のにわか評論家になりました。

調子に乗って全部食べてしまうと、ホスト役はもう1皿同じ「酢豚」を注文しました。みんなで美味しくいただいて、お皿を見るとお肉の最後の一切れが残っています。ホストに敬意を払い、「せっかくですから、残さずいただきます」と最後の一切れを食べてしまうとホスト役は服務員を呼んでもう1皿同じ料理を注文しました。

これも頑張って残さず食べてしまったら、ホスト役はもう1皿追加で注文することになったでしょう。そうです。こんなときは料理を全部食べてしまうのはよくないのです。ちょっと残すことがルールです。

余談ですが、筆者がなぜ「酢豚」が好きなのかというと、実は「酢豚」は中華料理のあらゆる料理方法が凝縮されている料理だからです。煮る、茹でる、炒める、さっと揚げる、じっくり揚げる、など、中華料理には日本語の漢字では表現できないほどのさまざまな調理方法があります。「酢豚」は中華料理のさまざまな料理方法を駆使して作られる中華料理の代表選手なのです。

初めて入るレストランでは、筆者はまず「酢豚」を注文してみます。「酢豚」が美味しい店はたいてい他の料理も美味しいのです。「酢豚」が美味しいかどうかで「このレストランにまた来るかどうか」を決める基準にしています。

参考までに、残した料理を持ち帰るのはマナー違反ではありません。日本だと「残り物を持ち帰るのはちょっとはしたない行為」と思われてしまうこともありますが、中国ではそうではありません。むしろ、持ち帰りたいほど美味しい料理を振る舞ってくれたホストに敬意を表することにも通じます。つまり、ホスト役の「面子」を立てることにもなるわけです。

レストラン側もプラスチックパックや紙製のお弁当箱を準備している店があります。生モノや痛みやすいモノはやめたほうがいいですが、残った料理で持ち帰りたい料理があったら、ひと品でもふた品でも遠慮なく服務員に包んでくれるように指示をしましょう（路地裏の食堂ではビニール袋に入れてくれる店もあります）。決してはしたないことではありません。ホスト役の「面子」を立てる行為です。遠慮なく試してみてください。

## 「割り勘」にしない中国の食事会
### ～「割り勘」はみんなの関係も清算することを意味する～

中国人同士の食事会では、基本的に食事代を「割り勘」にするという習慣はありません。日本では友人同士で飲みに行く場合、飲み代を人数割りで1人ひとりが平等に負担することが一般的ですが、中国ではこのような「割り勘」という習慣がありません。たいていは食事会を企画してみんなを誘った人が食事代の全額を負担します。

たとえば、気の合った仲間が８人で食事会を行ったとします。この場合、この食事会をアレンジしたＡさんがレストランの代金を支払います。つまり、他の７人はＡさんに「借り」ができるのです。Ａさんは他の7人に「貸し」を作ります。すると今度はこの「借り」を返すためにＢさんが次の食事会を企画します。ＢさんはＡさんに「借り」を返し、他のメンバーに「貸し」を作ります。

次の食事会はＣさんがレストランを探し、その次はＤさんが食事会を企画します。Ｅさんも、

Fさんも、その次も同様です。こうして「貸し」と「借り」をやり取りしながらみんなが集まる機会を作り、食事会の回数を重ねて人間関係を深めていくのです。

「借り」を作り「借り」を返して、今度は「貸し」を作って、という具合に、「借り」と「貸し」を1つずつつないで人間関係を構築していくのが「中国流」です。次に食事会を企画する人はメンバーの期待に応えるために、「面子」を賭けて安くて美味しいレストランを探します。こうしてお互いの信頼関係が深まっていくのです。

「割り勘」とは食事代を平等に負担することです。中国人にとっては、食事代を平等に負担することより、むしろ「貸し」と「借り」のほうが重要なのです。中国人にとって「平等に負担すること」はこの「貸し」と「借り」をなくしてしまうことになり、貸し借りなしの関係は、「人間関係の清算」という意味に通じるのです。関係を続けていくためには「貸し」と「借り」を大切につないでいくというのが中国人の考え方です。

もちろんすべての食事会で「割り勘」がないかというと、そうではありません。会費制の食事会もあるでしょう。昼休みにビジネスランチを一緒に食べに行くときや「自助餐《ツーヅーツアン》」(バイキング方式の食堂)で食事をするときなど、自分の分は自分で支払うこともあります。最近では合理的に「割り勘」方式で食事会を企画する若い世代も増えているようです。

ただし、基本的に「割り勘」をしないのが中国人です。極論を言うと、「割り勘」は「人間関係を終わらせること」を意味します。「貸し」と「借り」をなくし、人間関係を「清算」することが「割り勘」です。ある意味では「絶交宣言」なのです。

日本人は「借り」ができるとせっかちにその「借り」を返したがります。「借り」があっては相手に対して「申し訳ない」という気持ちがあり、「借り」はできるだけ早く返して、さっぱりしたいと思うのが日本人です。「借り」を作ったままでは何か居心地が悪いのです。

しかし、中国人は「借り」ができても、それをせっかちに早く返そうとは思いません。「貸し」と「借り」を人間としての「財産」と考えるのです。「貸し」と「借り」の数と大きさは人間としての器量の大きさを測るバロメーターです。せっかちにすぐに返そうとはしないで、大きな「借り」はじっくりゆっくり大きく返す。小さな「借り」はあまり気にしない。「貸し」と「借り」はその人の人間としての器量を測り、人間関係の広がりをもたらすために必要なのです。

## 支払時の注意点、3つのケースに要注意
### ～これをやってしまうと中国人が眉をひそめる～

中国人は基本的に「割り勘」という習慣がありません。ここで日本人が注意したい3つのケースを取り上げます。次のようなケースは中国人にとっては理解不可能な日本人の行動です。中国人の「面子」を傷つけることにもなりかねません。ついやってしまわないように、くれぐれも注意してください。

最初のケースは、中国側がホストです。友人の謝さん（仮名）とその仲間があなたを食事に招いてくれました。美味しい料理と楽しい会話を十分に満喫して食事会が終わりました。

支払いをするとき、謝さんは「今日は私が誘いましたから、私がご馳走しましょう」と言って支払いを済ませようとします。あなたは「それは申し訳ありません。みんなで『割り勘』にしましょう」といって鞄から財布を取り出してお金を払おうとします。

謝さんはもちろんあなたの申し出を受け入れません。「大丈夫。今日のところは私に任せて

ください」と言って支払いを済ませます。あなたは「せめて私の分だけでも……」と言って財布からお札を取り出そうとします。しかし、他の中国人は誰もそんな素振りは見せません。謝さんに支払いを任せるようです。

実は、あなたが財布からお札を取り出してお金を払おうとする行為は、この場面では不要なのです。ここは謝さんの好意に甘えて、素直に食事をご馳走になればいいのです。変に気を遣って無理に食事代を払おうとすると、彼の「面子」を傷つけてしまうことになります。

「今日はご馳走になります。次は私が食事会を企画しますので楽しみにしていてください」と言って、彼の好意に素直に甘えるべきなのです。

みなさんはこんな経験がないでしょうか。日本で誰かが食事代を全額もとうとすると、「だめだめ、私もちょっと負担します」と言ってポケットから財布を出す人がいます。本当は支払う気もないのに（?）一応財布を取り出して支払おうとする態度を示すことがエチケット（?）と考える人もいるかもしれません。しかし、中国人との食事会でこうした気配りは不要です。逆に相手の「面子」をつぶすことにもなりかねません。くれぐれも注意してください。

２つ目のケースは日本側がホストです。取引先の中国人を招いて食事会を行いました。支払いのときに取引先の中国人には「みなさんはお客様ですから、お金はけっこうです」と説明します。費用は日本側が負担するわけです。そして、「日本人は１人３０００円ずつ負担をお願いします」と言って幹事役がみんなからお金を集めます。

日本ではよくある光景ですが、実は中国人から見ると非常に不思議な光景です。中国人からはお金は取らないのですが、できれば中国人のお客様の前でお金を集める様子は見せないほうがよいでしょう。会費を集めている幹事役のあなたが「ケチな日本人」と見られてしまう可能性があります。

中国人はきっと「誰かがまとめて全額の費用を負担する」と思っているはずです。これも習慣の違いですが、このような場面で会費を集めるというのは、中国人にはなかなか理解できない日本人の行為です。

3つ目のケースは中国人の部下を食事に誘うケースです。仕事の打ち合わせを兼ねて食事に誘ったり、たまには部下の愚痴も聞いてやろうと飲みに連れて行ったり、部下を誘って食事をするケースです。出張先で現地法人の中国社員を食事に誘うといったケースがある方もいらっしゃるでしょう。

食事が終わって帰るとき、当然食事代はあなたが払います。「割り勘」はあり得ない場面です。しかし、もしこのときにレジで会社宛の「領収書」を要求したりすると、あなたの株が一気に下がります。「会社の経費で食事代を払うケチな上司」というレッテルを貼られてしまいます。

実はこんなときは会社の経費ではなく、ポケットマネーで支払うべきです。もちろん、すでにそうしている方もたくさんいらっしゃると思いますが、無意識についつい「領収書」を受け取ったりすると、そういう様子を中国人の部下はしっかりと観察しています。

人間関係は個人と個人の関係です。たとえ、それが上司と部下であっても、個人と個人の関係を作り上げるための投資はポケットマネーですべきでしょう。それを当然と考えるのが中国人です。こうした点もぜひ注意してください。

以上3つのケース、みなさんは心当たりがありませんか?

## 乾杯3原則①お酒は誘い合って飲む
### ～1人でちびちび飲むことはホスト役に大変失礼なこと～

中国式の「乾杯《カンペイ》」とは杯を飲み乾《ほ》すことです。つまり、グラスのお酒を残さずに最後まで飲み乾すことです。中国ビジネスに携わっている方であれば、すでにご存知の方も多いことでしょう。相手が「さあ乾杯しましょう」と言ってお酒を誘ってきたら、グラスのお酒を完全に飲み乾さなければなりません。

「乾杯」のターゲットにされて集中攻撃に遭い、酔いつぶれるまで飲まされた苦い思い出がある方も少なくないのではないでしょうか。「乾杯」とはまさに読んで字の如く「杯を飲み乾す」ことなのです。つまり、日本語で言う「一気飲み」の意味です。

相手がお酒を飲み乾して、こちらが飲み乾さずにお酒を残すと、相手に対して大変失礼な行為です。相手の面子をつぶすことにもなります。こちらも相手と同じようにグラスのお酒を残さず飲み乾さなければなりません。

これは中国ビジネスの基本です。すでに実践していらっしゃる方も多いでしょう。もし、ご存知でない方がいらっしゃったら、ぜひ注意してください。中国式の「乾杯」とは杯を飲み乾すこと、これはお酒を飲むときの基本的なマナーです。必ず心得ておかなければならない中国ビジネスの基本です。また、中国人とのビジネスでは必ず一度や二度は洗礼を受ける「乾杯攻撃」についても、心の準備をしておく必要があります（詳細は286ページにて）。

しかし、お酒を飲むときのルールは、杯を飲み乾す「乾杯」だけではありません。「乾杯」はよくする人でも、他のルールをよく知らない人は多いのではないでしょうか。ルールを知らない日本人を見て、宴席を設けてくれたホスト役の中国人がどう思うか、はらはらさせられることがしばしばあります。

ここではお酒を飲むときの一般的なルールをもう一度おさらいしてみましょう。「乾杯の3原則」と名づけました。3原則とは、第1にお酒は誘い合って飲む。次に誘うときに飲む量を確認する。そして「乾杯」と言ったら杯を飲み乾す。これが3つの基本原則です。

第1原則は「お酒は誘い合って飲む」ということです。日本では「この誘い合って飲む」という習慣がありません。ついつい1人でグラスを口に運んで、ちびちびと飲んでしまいがちです。しかし、実はこの行為は宴席を設けてくれたホスト役に対して大変失礼な行為です。同時に、一緒に食事会に参加している友人に対しても大変失礼な行為なのです。これを知らない日本人ビジネスマンがけっこう多いようです。もし、他の人を誘わずに1人で飲んでいると、あなたの行為がホスト役や周囲の人に思わぬ誤解を与えることになります。「今日の食事会つまらないのかな」「料理が口に合わないのかな」「早く帰りたいのかな」「ホストとして何か失礼なことがあったかな」と思わせてしまうのです。

飲むときは必ず誰かを誘って飲むのが大切なマナーです。まずは今日のホスト役にグラスを向けて、「陳さん、今日はお招きいただきありがとうございます」と言って彼を誘います。彼にお礼の気持ちを告げて一緒に飲むわけです。

次に、食事会の中で目上の人（上座に座っている人）から順に、「王さん、お世話になりました。これからもよろしくお願いします」「郭さん、お疲れさまでした」「劉さん、さあ飲みましょう」というように、必ず相手に声をかけて、誘い合って飲むのが中国流なのです。

これは一対一ではなく相手が複数でも、グループ全員に呼びかけてもかまいません。自分1人で飲むのではなくて、必ず誰かに声をかけて一緒に飲むことがポイントです。日本人はつい1人で飲んでしまいがちです。

第1原則を説明した後でも、わかっているはずなのに無意識にグラスを口に運んでしまう日本人がいます。誘い合って飲むということに慣れない日本人にはちょっと面倒で、煩わしさを感じる人もいるかもしれません。

また、日本では自分のグラスに自分でビールを注ごうとすると、必ず隣の人がそのビール瓶を持って「お注ぎしましょう」と言ってグラスにビールを注いでくれます。注いでもらって、注いであげて、ビール瓶を取り合うようにしてお互いに注ぎ合うのが日本的なルールです。

しかし、中国では必ずお酒を注いであげなければならないということはありません。自分のグラスに自分でお酒を注いでもかまいません。相手に注いであげても注いであげなくても、相手が自分でお酒を注いでも、大きなマナー違反にはなりません。中国人同士はこの点はあまり気にしないのです。

しかし、誰も誘わずに1人でお酒を飲むことは、ホスト役の中国人に対して大変失礼な行為です。1人でグラスに口に運ぶのは「原則禁止」と心得ていたほうがよいでしょう。

# 乾杯3原則②飲む量を確認し合う

## ～飲む量を確認する、「乾杯」と言ったら杯を飲み乾す～

「乾杯3原則」の第2原則です。第2原則とはお酒を誘い合って飲むときに「飲む量を確認し合う」ということです。たいてい相手は「乾杯」と言ってお酒を誘ってきます。あなたも杯を全部飲み乾すつもりなら「乾杯」と言って相手の誘いを受けます。お互い「乾杯」と言ってお酒を飲むわけですから、これでお互いが飲む量を確認したことになります。2人で一気に杯を飲み乾します。

しかし、宴席に参加している人が順番に「乾杯」と誘ってきたら、どうしたらよいでしょうか。あまりお酒が強くない人にとって、中国人の「乾杯」は苦痛に思えるかもしれません。ここでぜひみなさんに覚えておいていただきたい便利な言葉があります。それは「半杯《パンペイ》」と「随《スイ》意《イー》」です。

「半杯」とは、「グラスのお酒を半分だけ飲みます」という意味です。全部飲み乾す「乾杯」

ではなく、「半分ぐらいで勘弁してもらいたいとき」に効果を発揮します。グラスのお酒を全部飲み乾す自信がない場合、相手の誘いに対して「半杯」で応じてみましょう。

もう1つの便利な言葉「随意」は、「意のままに」という意味です。「自分の好きなだけ」「飲む量は自由に」「飲めるだけ飲む」という意味です。お酒を全部飲み乾す必要はありません し、「飲めるだけ量は自由に自分で決めて飲む」という意味ですから、グラスに口を付ける程度でもいいわけです。

お酒の量がもう限界に達しつつあるとき、これ以上飲めないときは、相手に「随意」と伝えます。「随意、随意」と繰り返して使うとより自然な中国語らしくなります。

しかし、ここで大きな問題があります。「飲む量を確認し合う」ということは、相手がそれを「合意」してくれるかどうかが大きな問題です。

たいてい中国人は「乾杯」と言ってあなたを誘ってくるでしょう。あなたのほうが「もうこれ以上飲めません。随意、随意……」と応じても、問題は相手があなたの「随意」を認めてくれるかどうかです。第2原則はあくまでも両者の合意が原則です。もし、あなたが「随意」と言っても相手が受け入れてくれない場合は、両者が合意できる別の方法を探さなければならないのです。

相手は「乾杯！　乾杯！」と何度も言ってくるに違いありません。これが中国流です。そして、それに応じるか応じないかは、あなた次第です。まだ飲めるかどうか、あとどのくらいなら飲めるか、限界まで飲むか、胃の調子や体調との相談になりますが、最終的には相手の意向を受けて腹を括って飲むかどうかになります。

繰り返しますが、「飲む量を確認し合う」というのは両者の合意が原則です。相手が「乾杯！乾杯！」と迫ってくるときに、あなただけ「随意、隋意」を繰り返しても、相手が「だめ、だめ、乾杯」と言う場合、結局あなたは「乾杯」をさせられる羽目になるのです。中国ビジネスは「お酒」が弱い人に向いていないかもしれません。

## 乾杯3原則③「乾杯」は「杯」を飲み乾す
### ～しかし、中国では通じない「お酒の席の無礼講」～

最後に、第3原則とは「乾杯」です。これはすでに説明した通りです。「乾杯」はグラスのお酒を全部飲み乾すことです。お酒の席が盛り上がると、お酒の量がすでに限界に達しつつある場合でも、相手からの「乾杯」の誘いが断りにくい雰囲気になります。

中国ではお酒がどれだけ飲めるかが、その人の器量を判断する1つの基準になっているとも言えるでしょう。お酒が強い人は「海量」（海のように器が大きい人）といって尊敬の対象となるのです。重要な取引先や気心が知れた仲間と飲むときなど、年に何度かは腹を括ってとことん飲む、そんな食事会が巡ってくることを覚悟しておく必要があるかもしれません。

また、中国では「お酒の席での無礼講」は通じません。日本人ビジネスマンは注意が必要です。「飲み過ぎでついつい羽目を外してしまって」ということは許されないのです。もちろんお酒の席ではみんな陽気に楽しく飲みます。お酒の席ならではの盛り上がり方もあるでしょう。

しかし、お酒の勢いで何でも許されるかというと、そんなことはありません。酔ってふらふらになってもシャキッとして場を締め括るのが中国人です。筆者は、酔っ払って駅のベンチでうずくまっていたり、道端で動けなくなっている中国人を見たことがありません。酔って醜態を晒すことは、彼らの「面子」が許さないのでしょう。どれだけ飲んでも醜態を晒すことなくシャキッとして家に帰るのが中国人なのです。

こんなことがありました。宴会の席である商社の方が場を盛り上げようと思ったのでしょう。お酒の勢いでネクタイを額に巻いて、陽気に歌を歌い始めました。お酒もかなり入っていましたが、本人はお客様（中国人）に喜んでもらうためにノリノリです。

ネクタイの鉢巻ぐらいまではよかったのですが、お酒の勢いで彼は着ていたワイシャツを脱いで踊り始めました。ちょっと悪ノリが過ぎてズボンを脱ごうとベルトをはずしたところで、アウトです。同席していた中国人は席を立ってしまいました。こうした事例は稀かもしれませんが、注意が必要です。

日本の商社の方は大変接待上手で、お客様を喜ばせるためのツボを心得ています。先輩から後輩へと伝授されるのでしょう。しかし、いくら場を盛り上げるための手段とはいえ、中国人に対してこういう破廉恥な態度は禁物です。よい印象を与えないばかりか、人間性を疑われてしまいます。お酒の席でも絶対にその人の言動をじっと冷静に観察しているのが中国人ビジネスマンです。

また、お酒があまり強くない人が無理に飲んでつぶれてしまうケースがあります。中国人に負けないように頑張って飲んだのでしょう。しかし、食事会の席上、その場で酔いつぶれてしまったら、これもアウトです。床に座り込んで動けなくなってしまったり、トイレに入ったまま出て来られなくなってしまったり、これらは自分の醜態を晒すだけでなく、周囲の人たちに気を遣わせたり、心配させるなど、ホスト役に対しても大変失礼な行為です。

お酒の席で1人ちびちび飲んでいて、そのまま寝てしまう人もいます。そんなに飲んでいないのに、日ごろの疲れがたまっていたからか、アルコールに眠気を誘われたか、テーブルにうずくまって寝てしまう日本人がいます。こうした行為も相手に対して大変失礼な行為です（こうしたケースは中国での宴席だけでなく、日本でも同じだと思いますが）。

日本人はお酒の席での失態に意外と寛容です。「酔っ払いだから仕方ない」と大目に見てしまうことがよくあります。しかし、中国ではそれは通用しません。相手に失礼な行為をしたり、酔った勢いで醜態を晒したりすると、必ず後で厳しい評価が待っています。人間関係はお酒の席で培われるものですが、一歩間違うと信頼関係を壊してしまうことにもなりかねません。自分自身のお酒の適量と飲むペースを把握して、楽しい宴席を心がけたいものです。

## 「乾杯」の誘いを断る方法はある?

### ～腹を括ってとことん飲むのが原則だが、予防策はある～

お酒の適量を超え、もう飲めないというときはどうやって断ったらいいでしょうか。宴席が盛り上がり、相手が「乾杯しましょう」と何度も誘ってくると、なかなか断りづらく、飲まなければ済まないような雰囲気になることもしばしばです。

そんなときに「もう限界です」「飲めません」「勘弁してください」ということが通じないのが中国の宴会です。自分のペースでゆっくりお酒を飲みたいところですが、それをさせてくれないのが「乾杯3原則」です。「お酒を誘い合って飲む」というのが中国式のマナーだからです。

では、宴席でお酒の限界点に達したとき、どうやって誘いを断ったらいいでしょうか。

結論を言うと、「残念ですが、お酒を断る有効な方法はありません」というのが筆者の答えです。大切な宴席であればあるほど、重要な相手であればあるほど、「乾杯」に応じてとこととん飲むのが中国の宴会です。「腹を括ってとことん付き合う」くらいの「気概」がないと中国人とはやっていけないかもしれません。「断らずに徹底的に飲む」というのが結論です。

しかし、「乾杯」をしないで済む方法が1つだけあります。それは、その食事会で「最初からお酒を飲まない」ことです。食事会が始まるときに「今日はソフトドリンクで失礼します」と宣言して最初からお酒を飲まないことです。

体調が悪いとき、食事会の後に仕事を控えているとき、「乾杯」のターゲットにされそうなとき、こんなときはこの方法がお勧めです。最初からお酒を飲まないことが「乾杯攻撃」から身を守る最も有効な方法です。

体調が悪いときなど、「せめて乾杯だけでも……」「最初の1杯だけお付き合いします」と言ってお酒を飲む人がいます。本人は周囲に気を遣っているつもりかもしれませんが、途中からソフトドリンクに切り替えるほうが不自然です。「飲めるのに飲まない」という印象を与えてしまうからです。「飲まない」なら最初から一滴も「飲まない」ことに徹したほうがよいでしょう。

次に、お酒の断り方ではなく、乾杯攻撃から身を守るための「予防策」をいくつか紹介しましょう。お酒を断る効果的な方法ではありませんが、自己防衛策としては誰にでもできる効果的な方法です。みなさんも試してみてください。

最初の方法は食事会の前に「簡単に何かを食べてから行く」という方法です。たとえば、ヨーグルトを食べておくとか、牛乳を1本飲んでから行くとか、簡単なことですが、意外と効果的です。胃に粘膜を作り、アルコールが吸収されにくいようにするためです。

「接待の食事会に行く前にはある程度お腹を作っていく」という商社もいます。食事会の前に食事をしておくというのは邪道ですが、ターゲットにされそうな食事会を控えている場合、自分がホスト役として、ゲストをもてなさなければならない場合、簡単に何か食べてから行くといいでしょう。

さて、次の方法は食事会が始まるときに、予め帰る時間を宣言しておくことです。「申し訳ありませんが、今日は8時半で失礼します」とか、「9時にホテル（事務所）に戻らなければならないので、ぎりぎりまでお付き合いさせていただきます」という挨拶を宴席の始めにしておきます。これで時間を計算しながら、自分のペースで飲む量をコントロールしやすくなります。

飲む量をコントロールするもう1つの方法として、「自分でお酒を持ち込む」ということがあります。「この白酒《バイヂョウ》はみなさんにぜひ飲んでいただきたいお酒です」「今日はお勧めの紹興酒を持ってきました」など、自分でお酒を持ち込んで、自分がホスト役に徹するわけです。ホスト役ですから、飲んでいただく側に回ることができます。自分で飲む量やペースをコントロールしやすくなり、自分がターゲットにされる確率は低くなります。

番外編ですが、地方政府の役人などは自分専用のボトルやピッチャーがあって、ときどきアシスタントに指示をしてテーブルにそれを持ってこさせたりする人がいます。実は、その中身は「白酒」ではなく「水」だったり、「紹興酒」ではなく「ウーロン茶」だったりします。彼は陽気に「乾杯、乾杯」を繰り返しますが、実はお酒をほとんど飲んでいないのです。

また、お酒が強い部下を連れてくる役人がいます。体の大きいいかにもお酒が強そうな体育会系の部下です。宴席に同席させ、「私の代わりに今日は彼が乾杯のお相手をします」と言って部下に「乾杯」を任せます。彼は運転手だったり、肩書き上は秘書だったりしますが、「飲むこと」を仕事にしている専門のスタッフです。

最後に究極の秘策を1つご紹介しましょう。それは最も効果がある方法ですが、後で人間関係を悪くする（?）というリスクも伴います。その究極の秘策とは、「犠牲者を作る」という方法です。「みなさん、今日は1人ずつ全員で陳さんと乾杯しましょう」とターゲットにあなたのほうから「乾杯攻撃」を仕掛けるのです。犠牲者となるターゲットを決めて、あなた自身がムードメーカーになります。

あなたは飲ませる側になりますから、自分で飲むお酒の量を自分でコントロールすることができます。その気になれば、ターゲットを変えて犠牲者を増やすこともできます。お酒を飲ませる役に徹すると実はなかなか楽しいものです。一度チャレンジしてみてください。

しかし、これは大きな危険性も孕んでいますから要注意です。それは「返り討ちに遭う」という危険性です。一転して周囲からあなた自身がターゲットにされてしまう可能性があります。場の雰囲気と流れを読みながら、うまくコントロールしたいものです。

ターゲットにした相手と後で人間関係がこじれないように（？）注意も必要ですね。お酒の席とはいえ、はしゃぎすぎて後輩や同僚から後で恨まれないようにしたいものです。

いろいろな方法を紹介しましたが、結局のところ宴席ではみんなで陽気に楽しく、愉快におしゃべりをしながら、みんなで誘い合ってお酒を飲むことが基本中の基本です。姑息な手段を使って誘いを断るのではなく、腹を括ってとことん飲む姿勢を見せることが、相手との信頼関係を作る近道です。

中国語でお酒が強い人を「海量《ハイリャン》」と言います。「海のように広い器を持った大きな人物」という意味で、尊敬の気持ちを込めた言葉です。日本語でお酒が強い人を「ザル」というのとだいぶ違いますね。

## 上級者向けの乾杯対策「究極の3秘策」
### ～お酒をどう断るのかよりも、その場をどう盛り上げるかを考える～

これまで「お酒の断り方」を紹介しました。効果的なお酒の断り方を期待していた方にとっては残念な結論かもしれません。しかし、大切な宴席であればあるほど、「乾杯」を断ることを考えるのではなく、「腹を括ってとことん飲む」ことが重要です。中国ビジネスは人と人との信頼関係の構築からすべてが始まります。そのためにもお酒の席は大変重要な場です。本気で人間関係を作りたい相手であれば、「腹を括ってとことん飲む」ことをお勧めします。

研修で日本のみなさんに、「お酒が苦手な人は中国ビジネス要員から外してもらったほうがいいですよ」という不用意な発言をしたところ、本気で頭を抱え込んでしまった方がいました。みなさんの中にはまったくお酒が飲めない人、ちょっとは飲めるけどそんなに強くはない人もいると思います。私の身近にもビールをグラス半分飲んだだけですぐテーブルに頭をつけて、その場で眠ってしまう先輩がいます。

しかし、お酒が飲めなければ中国ビジネスができないわけではありません。実際、ソフトドリンクで見事に宴会を仕切ってホスト役を務めるメーカーの方がいました。グラス半分で寝てしまう先輩も食事会では流暢な中国語で中国人と見事に渡り合い、(寝てしまうまでは) その場を大変盛り上げます。要するに大切なことは、こちらの「気持ち」が相手に伝わるか、「心」が通じるかということです。お酒が強いか弱いかの問題ではありません。

ここでは乾杯対策の「上級編」として次の3つの方法を紹介します。これは「お酒を断る」のではなく、もっと積極的な姿勢でその場を盛り上げるための「秘策」です。機会があればぜひ試してみてください。

最初の方法は私自身が常套手段にしている方法です。お酒の限界に近づいて「そろそろ厳しいな」「もうこれ以上は飲めないかな」というとき、それでも容赦なく「乾杯しましょう」と誘ってくるのが中国人です。そんなとき、私は「おしぼり」を丸めてマイク代わりに右手に握り締め、「乾杯の代わりに、1曲歌わせていただきます」と宣言して、歌を歌い始めます。

曲目は中国人なら誰でも知っていそうな日本の曲がいいでしょう。千昌夫の「北国の春」、谷村新二の「すばる」などが手堅いところです。中国のみなさんがどの年代の方でもよく知っている日本の曲がお勧めです。日本で流行った曲でも中国では知られていない曲もあります。逆に日本の意外な曲が中国で有名だったりすることもあります。自分が歌えそうな歌を一度チェックしておくとよいかと思います。

「一曲歌わせていただきます」と立ち上がり、おしぼりを握り締めて「曲目」を披露します。この時点でもう間違いなく拍手喝采になります。私自身この方法で外したことは一度もありません。

「白樺、青空、南風……」と歌い始めると、中国の方も曲を知っている人は一緒に口ずさみます。日本側も歌の輪に加わり、そして、曲の最後は「あの故郷に帰ろかな。帰ろかな……」と全員で大合唱になります。「乾杯」10回分ぐらいの盛り上がり効果があります。ぜひ、自分自身のレパートリーを1曲決めておいて、実践してみてください。

私の知り合いで歌を歌う代わりに、「詩吟」を披露する日本の方がいます。李白の「汪倫《おうりん》に贈る」を朗々と吟じます。もちろん日本語です。中国人には日本語の詩吟では言葉の意味は通じませんが、李白という高尚さと親近感、それに日本式の詩吟の節回しが中国人には逆に新鮮なようです。彼らを魅了するには十分なパフォーマンスです。まさに異文化交流を実践する場面です。彼が李白を吟じ終わると一同立ち上がって拍手喝采となります。

上級編の3つ目の秘策は、「エールを送る」という方法です。これは宴席で突然「にわか応援団長」になるという荒業《あらわざ》です。腹に力を入れて、大きな声で「オス、○○人民政府……、○○先生に……、エールを送る……」とやります。

このとき「にわか団長」は応援団の経験がなくても大丈夫です。ただし、恥ずかしがって、中途半端にやってはダメです。腹の底から大きな声を出し、掌をピンと伸ばして胸元から右上へ左上へと腕を大きく伸ばし、「フレー、フレー」と力の入った声で思いっきりよくやります。

このとき、団長が叫ぶ日本語の意味について、ちょっとだけ通訳を通じてゲストに説明が必要です。日本の応援団についても、パフォーマンスを始める前に簡単な説明をするといいでしょう。そうでないと、中国人のゲストはいったい何が始まったのかきょろきょろしてしまいます。

通訳の説明だけではいったい何が始まったか理解できない人もいるかもしれません。しかし、意味がわからなくても場の雰囲気はわかります。たいていは日本人も中国人もみんな一緒に手を叩いて、「フレ、フレ、○○○、フレ、フレ、○○○」の大合唱になります。この方法もぜひ一度試してみてください。

繰り返しになりますが、お酒をどう断るかではなく、宴席をしらけさせずにどうやってその場を盛り上げるかという積極的な方法で臨むことが大切です。重要なのは「気持ち」を伝えること、「心」を伝えることです。

ホスト役として中国のみなさんをもてなす場合、またはゲストとして中国のみなさんのもてなしに感謝の気持ちを伝える場合、こうした方法をぜひ試してみていただければと思います。

# 第8章

## 中国ビジネスへの挑戦

## 「石橋を叩いて…」渡らないのが日本人
### ～中国ビジネスに向き合う自分のスタンスを考えてみよう～

「石橋を叩いて渡る」という諺があります。「丈夫な石でできた橋であっても、油断することなく用心に用心を重ねて一歩ずつ慎重に注意深く渡りましょう」という諺です。「油断せずに、慎重さの上に慎重を期して」という教えです。

もし、中国ビジネスでみなさんがこの「石橋」を渡らなければならないとしたら、どうやって渡りますか？　「石橋を叩いて……」、渡りますか？　渡りませんか？　どのように渡りますか？　それとも引き返しますか？　日本人や中国や台湾の友人に質問をしてみました。

中国ビジネスに向き合う自分自身のスタンスを考えてみましょう。リスクの中にチャンスを見つけ出すか、リスクはとことん避けて通るべきか、改めて考えてみてください。

この先を読み進める前に、ここでちょっとだけ時間を作って、1分間目を閉じて考えてみてください。想像力を働かせて、自分流の渡り方を考えてみましょう。

さて、みなさんなら中国ビジネスという石橋をどうしますか？（ここで1分間）

ある日本の友人からはこんな答えが返ってきました。

「僕なら石橋を一度や二度ぐらい叩いてもまだ渡らないね」。中国ビジネスの難しさを痛感している彼はできるだけリスクを避け、慎重に注意深くビジネスを進めるタイプです。

「僕なら納得いくまで叩いて、リスクを減らしてから渡るかな」という彼に対して、「だから日本人はダメなんだよ」と台湾人の友人が反論します。

「僕なら石橋を叩かずに渡るね。とにかくやってみなくっちゃわからないじゃないか」という意見です。

彼はまた、「石橋を叩いて、叩いて、叩きすぎて壊しちゃう日本人が多いんだよね」というコメントも。筆者も同感です。慎重すぎて渡るべき橋を自分で壊してしまう日本人がいます。実は、日本企業ではよくあるパターンです。

一方、別の台湾人の友人は、「私なら石橋を渡らず、船に乗るね」という発言。「なるほど、その手で行くか」と思わせてくれるコメントですが、実はその上がいました。

「私なら石橋を渡らず、泳ぐね」という発言。ビジネスチャンスをいち早く掴み取るには、泳いで行くぐらいの覚悟が必要だというわけです。

それを聞いていた別の台湾人は、またその上を行く発言でした。

「私は向こう岸に泳ぎ切った後で、橋を壊していくね」という大胆なコメント。自分の退路を断つためか、コンペティターに道を残さないためか、いずれにせよ、それも1つの方法です。

諺1つを考えても、人によってビジネスに向き合うスタンスの違いが、いろいろと見えてくるものです。

さて、ここまでいろいろなコメントが出たところで、もう一度時間を作ってご自分で考えてみてください。

「さて、あなたなら石橋をどう渡りますか？」

中国ビジネスに向かい合う自分のスタンスをもう一度整理してみてください。


最後に、ある中国人のコメントを紹介して、締めくくります。

さすが中国人、筆者自身もまったく及ばない、すごいことを考える友人がいました。

「石橋をどうしますか？」という問いかけに対して、彼のコメントは……

「私なら橋を渡るんじゃなくて、川の流れそのものの『流れ』を変えちゃいますね……」

さすが中国人、恐るべしです。

## 「三本主義」(台湾人)に学ぶ中国ビジネス成功の秘訣
### ～「本人主義」「本土主義」「本領主義」～

日本企業の問題点について、こんなポイントを指摘する中国の友人がいます。彼は日本企業の中国進出を支援するコンサルタント的な仕事をしています。長年に渡ってさまざまな日本企業を見てきて、中国進出で失敗する原因について、次のような点を指摘しています。

「日本の企業は中国に進出するときに、それぞれ専門分野の違う担当者が入れ替わりながらやって来ます。事前調査をする人、事業の立ち上げに来る人、会社ができた後で総経理として送り込まれてくる人、それぞれの段階で別々の人間がやって来るケースが多い」とのコメント。

「事業が始まってからも平均すると3年～5年に1回は総経理の交代があります。さらに事業がうまくいかないと、事業の見直しや戦略の転換のために、また別のスタッフが送り込まれてきます。最悪の場合、撤退の準備、事業の後始末に来る人もまた別の人です」

「これでは中国で勝負ができない」というのが彼の結論です。

「現場で情報収集しながら、刻々と変化する状況に合わせて、スピーディーにフレキシブルに対応していかないとだめだ」というのが彼の理由です。

「それぞれの段階でそれぞれの専門家の強みを活用することは悪いことではありませんが、中国ビジネス全体を俯瞰的に見て、戦略的にビジネスの方向性を考える指揮官が現場にいないことは致命的だ」というのがさまざまな企業を見てきた彼の意見です。

そして、「経営者自らがビジネスの現場に立つべきだ」と彼は力説します。

筆者は中国への出張が入ると、できるかぎり現地の台湾企業を訪問して台湾人の総経理にインタビューする機会を作る努力をしています。現在、経済的に中台は切っても切り離せない蜜月関係にあり、特にＩＴの分野では多くの台湾企業が中国に進出してビジネスを行っています。台湾企業へのインタビューは、中国における彼らの成功のノウハウを探るためです。

ある台湾人総経理は中国でビジネスを成功させるポイントを「三本主義」という言葉で説明してくれました。「三本主義」とは、「本人主義」「本土主義」「本領主義」の3つを指し、「中国でビジネスをうまくやっていく秘訣はこれがすべてだ」と彼は説明します。

まず「本人主義」とは、「現場での決定権を持つ本人がビジネスの最前線で陣頭指揮を取る」ということ。「経営者自らが現場に立ち、自ら情報収集を行い、自ら情報を分析して、自らがスピーディーに判断を下す。これが中国ビジネスの鉄則である」と言います。

次に「本土主義」とは、言い換えると「現場主義」ということです。「自分の足で現場を歩き、自分の目で見て、自分の耳で聞いて、現場の状況を自ら把握することが大切である」と言います。「現場に来ない経営者は中国ビジネスをやる資格がない」とまで言います。また、ネットワークを駆使して、人に会い、人と話し、さまざまな現場の生の声を聞くことも重要なポイントの1つです。食事の席やお酒の席をフルに活用して、情報収集や意見交換の場を作るのも彼らの常套手段の1つです。人間関係を貪欲なまでフル活用する姿勢は台湾人も中国人も同じです。

最後の「本領主義」とは、「本領」を発揮すること。つまり、自分の「強み」を徹底的に活かすことです。中国で成功を勝ち取るためには、まずは自分の「強み」を徹底的に研究して、その「本領」を活かし切ることから進めていくべきです。「強み」さえ活かせない企業が「中国へ行けば、何か可能性が開けるかもしれない」「ビジネスチャンスが広がるかもしれない」という幻想は抱くのは危険です。

「三本主義」には中国ビジネスのエッセンスが濃厚に凝縮されています。台湾人が実践している「三本主義」を日本企業にも当てはめてみて、この言葉が持つ奥の深さをもっと研究してみる必要がありそうです。1つひとつの言葉を噛み砕いて実践してみると、中国ビジネスの「壁」を乗り越えるためのヒントを探り当てることができるかもしれません。

## 「郷に入らば郷に従え」とは違う異文化理解アプローチ

### 〜「気づき」「自己確認」「接点探し」の3段階を意識する〜

日本語に「郷に入らば郷に従え」という言葉があります。広辞苑を引くと「人は居住する土地の風俗に従うことを当然とする」とあります。中国語では「入境随俗《ルーチンスイスー》」と言います。中国でも「郷に入らば郷に従え」という同じ意味で使われる言葉です。

しかし、「郷に入らば郷に従え」には異論があります。果たして、現地の土地の風俗にすべて従うことが正しいことなのでしょうか？　なんでも相手のやり方に合わせてしまうのではなく、もっと考えなければならないことがあるのではないかと思います。筆者はむしろ「郷に入らば郷に従え」という考え方には反対です。

では、どのように考えたらよいのでしょうか。異文化間コミュニケーションにおいて、互いに考え方や価値観が違う相手と異文化理解を深めるためには、次の3つの段階を意識することが大切であると考えます。第1に「気づき」、第2に「自己確認」、第3に「接点探し」です。

第1の段階は「気づき」です。異文化理解はまず「気づき」から始まります。「どうやら相手は自分たちのやり方や考え方と違うところがあるらしい」ということに「気づく」ことが第一の段階です。「何か違うらしい」「どこが違うんだろう」「どう違うんだろう」「なぜ違うんだろう」というふうに「気づき」が深まっていきます。

まずはこの「気づき」の段階がないと、異文化理解を次のステップに進めることができません。みなさんはこの「気づき」というアンテナを張るところから始めてください。アンテナの感度を調整して、異文化間のコミュニケーションで起こるギャップを敏感にキャッチする姿勢が必要です。

ビジネスを進めていく中で、「自己紹介の仕方」「名刺交換の仕方」など、日本人とは違った中国人のやり方があることにすぐに気づくはずです。「乾杯の仕方」や「お酒の断り方」も同様です。1つひとつに日本人とは違う「流儀」があることに気づきます。違和感を覚えることもあれば、違いはあってもそれほど違和感なく受け入れられることもあります。

最初の段階は「気づき」ですが、実はこの「気づき」が必要であるということにまず気づくことが大切です。「気づき」が大切だと言うことに気づくことです。この点を意識して、最初のハードルを乗り越えることが異文化理解の第一歩です。

次の段階は「自己確認」という段階です。日本人との違いをキャッチしたら、次は「自分たち自身はどうなんだろう」と自分たちの考え方に目を向けてみることです。「自分たちのお酒の飲み方は」「乾杯の断り方は」「主張の仕方は」「反論の仕方は」というように、気づいたことの1つひとつの事柄について、自分自身に目を向けてみることです。

そうすると「当たり前」だと思っていたことが、実は「そうではない」ということがたくさんあることに気づきます。自分たちの考え方や価値観を改めて見つめ直してみることで、相手との違いがより明確になります。「もしかしたら、日本人のほうが特殊なのかもしれない」という事柄も見えてくるかもしれません。

最後の段階は「接点探し」です。お互いの違いがはっきり確認できた上で、その「接点」はどこにあるのかを考えてみることです。譲れる部分と譲れない部分、譲ってもいいこと、譲ってしまったほうがいいこと、譲っても意味がないこと、絶対に譲れないことなど、円滑なコミュニケーションを進める上での選択肢がはっきりと見えてきます。

こうして相手との「接点」になり得る部分を探っていきます。なんでも相手のやり方に合わせてしまうのではなく、この「接点」を見つけ出す作業が最も重要なポイントです。異文化理解は「郷に入らば郷に従え」ではなく、「接点探し」がポイントです。

## 「中国語」を学んで人間関係作りのきっかけを
### ～地域の方言を少しだけ学んでみるのも効果的～

ここで「中国語」について触れておきましょう。中国ビジネスに携わるみなさんにとって「語学力」も大切な要素の1つです。相手との円滑なコミュニケーションを図る上で、また人間関係を作っていく上で、たとえ片言でも「中国語」が話せると大変効果的です。英語ができる方でも、自己紹介のときやお酒の席などで簡単な「中国語」が話せれば、その場のムードを和ませ、相手との親近感を一気に縮めることができ、大変効果的です。

自分の名前だけでも「中国語」でどう発音するか、ぜひ覚えておきましょう。また、食事の席で使う「好吃《ハオチー》」（おいしい）や「再来一杯《ツァイライイーベイ》」（もう一杯）といった表現もぜひ覚えておきたいものです。

「謝謝《シエシエ》」（ありがとう）、「不客気《プークーチ》」（どういたしまして）、「対不起《トウエプチー》」（ごめんなさい）、「請問《チンウエン》一下《イーシア》」（ちょっとすみません、失礼ですが……）、「再見《サイチエン》」（さようなら）といった基本的な会話だけを覚えるだけなら、それほど難しいことではありません。相手とのコミュニケーションの幅が広がり、信頼関係を作り上げていく上でも大変効果的です。

中国で一般的に使われている中国語は「普通話《プートンホワ》」と言います。北京地域の発音を基本にした言葉です。テレビのニュースやラジオなど公共放送で使われている言葉、また学校の国語教育で教えられている言葉が「普通話」です。標準語と言ってもいいでしょう。

しかし、同じ「普通話」でも地域によって単語の発音が違うことがあります。中国語は一般的に北方ほど「巻舌音」（舌を巻いて発音する音）が強くなり、南方ほど「巻舌音」を使わない傾向があります。これは方言というより発音方法の違いです。

一方、「上海語」「広東語」「福建語」といったその地域ごとの方言もあります。この方言は地域によってまったく違う「言葉」で、「上海語」しかできない人と「広東語」しかできない人とでは、会話が成り立たないということが起こります。発音も言葉の使い方もまったく違う言語と考えたほうがよさそうです。これは日本人が想像する以上の違いです。日本の東北の人と沖縄の人がそれぞれ方言で会話する以上のギャップかもしれません。

しかし、どの地域でも「普通話」は標準語として普及しており、地域が違っても中国人同士は「普通話」で会話すれば、コミュニケーションは成り立ちます。私たちも日本で「ＮＨＫ中国語講座」などで勉強しておけば、方言の地域差を気にせず、とりあえず中国のどこに行っても言葉は通じると考えていいでしょう。

中国人は地域によって仲間意識（同郷意識）が強く、たとえば上海では「上海語」が話せない人に対して、それだけで人間関係に距離を置くようなことがあります。これは上海だけではありません。地域の方言が話せるかどうかで、人と人との距離感がだいぶ違ってきます。逆に地域の方言が話せると、言葉が通じるというだけでその2人の人間関係の距離感が一気に縮まります。

みなさんが中国語を学ぶとき、できれば、その地域の方言も少しだけ学んでみることをお勧めします。「こんにちは」「さようなら」「ありがとう」といった基本的な言葉だけでもよいでしょう。その地域の方言が話せると、親しい関係を作るときのきっかけになります。

たとえば、上海で友人ができたら、彼を「上海語」の先生に見立てて、簡単な挨拶の言葉を教えてもらいましょう。食事やお酒の席を利用して、「方言」のプチレッスンをお願いしてみるのもよいでしょう。ワンポイントレッスンは「方言」でも「普通話」でもOKです。

もし、彼が日本語に興味があり、日本語を学びたいと思っているのであれば、あなたのほうが臨時の先生になり、簡単な日本語のプチレッスンをしてあげてもいいと思います。こうして言葉を教えてもらったり、教えてあげたりすることは、彼との人間関係を作る上でも大変効果的です。ぜひ、試してみください。

## 「中国語」初級学習者への3つのアドバイス
### ～発音と四声はいい先生から短期集中でマスターすべき～

これから「中国語」を学びたいというみなさんへのアドバイスです。「中国語」を学ぶときにどんな点に注意をしたらいいか、自分自身が「中国語」を学んできた経験から簡単なアドバイスをしたいと思います。

中国語は最初の「発音」と「四声」をしっかり学ぶことが極めて重要です。この「発音」と「四声」を学ぶときには、「絶対にマスターするんだ」という決心と「いつまでに習得するんだ」という具体的な目標を持ってぜひ取り組んでください。

第1のアドバイスは、「発音」と「四声」は短期集中でやること、第2は中国語の基礎は日本人がつまづきやすいポイントを理解している「いい先生」を探すこと、そして、第3はどんな場面で中国語を使えるようになりたいか、自分自身がしっかりとした目標を持つことです。

「発音」と「四声」は短期集中でやるべきというのが筆者の持論です。発音練習は実はつまらないものです。暗記しなければならないことが多く、発音記号を覚えたり、口の形や音の出し方などを何度もトレーニングしたり、体で覚えなければならない単純な練習が続きます。ほとんどの学習者がこの段階で挫折します。しっかりと習得しないまま次の段階に進んで、それが原因でその後の学習で大変苦労する事例をたくさん見てきました。

中国語はこの「発音」と「四声」が中途半端のままだと、初級から中級、中級から上級へ進むにつれて会話力が伸び悩みます。「発音」と「四声」の段階をいい加減にしてしまうと、ある段階で必ず「壁」にぶつかります。

逆に言うと、この「発音」と「四声」の段階をいい先生についてしっかりやった人は、初級から中級へ進むときの「壁」をうまく乗り越えることができて、ある段階から急激に会話力が進歩します。この差は歴然としたものがあります。それだけ「発音」と「四声」は重要なのです。

「発音」では、日本語にはない「音」を集中的に練習することがポイントです。中国語には日本語にはない母音や子音があります。ここで日本人が苦手とするポイントを先回りをして、1つひとつチェックしながら効率よく学習することがお勧めです。そのためにも口の形、音の出し方など、日本人が苦手とするポイントをきちんと指導できるいい先生を探すことをお勧めします。

「四声」の練習も同様です。「声調」（音の高低）の中に日本人が苦手とする組み合わせがいくつかあります。この組み合わせの単語を拾い出し、日本人が間違いやすい箇所を徹底的に矯正してくれる先生について学ぶことがポイントです。

繰り返しになりますが、「発音」と「四声」はいい先生から短期集中で指導を受けることをお勧めします。発音練習の段階は覚えることが多く、つまらないレッスンが続きますが、この「壁」を意識してしっかり乗り越えなければなりません。頑張りどころです。この「壁」が越えられると、初級から中級に進むときに飛躍的な会話力の進歩が期待できます。

最後に、中国語を学ぶ際に最も重要なポイントは、どんな場面で、どんな言葉を話せるようになりたいか、具体的な目標を持つことです。「中国語をマスターしてビジネスに役立てたい」という漠然とした目標ではなく、どんな場面で中国語が必要か、どんな会話ができたらいいか、実際に使う場面がどれだけ具体的イメージできるかがポイントです。

中国語で自己紹介ができるようになりたい、会社の紹介、レストランで料理の注文、タクシーで目的地を言う、買い物の値引き交渉、お酒の席でのおしゃべり、カラオケで中国語の歌を1曲マスターしたいなど、学習の成果がすぐに試せるような具体的な場面がどれだけイメージできるかがポイントです。具体的な目標を持つこと、これが中国語がうまくなる最大の近道です。

## ネットワーク力が中国ビジネスの成否を決める
### ～「当たり前」や「常識」を疑ってみよう～

中国人は人と人とのつながりを大変大切にします。そして、中国人は人と人とのつながりを基本にしたこのネットワークでビジネスをします。会社と会社の関係ではなく、人と人とのつながりでビジネスが進み、ビジネスを広げていくことが基本なのです。どんな人脈をどのくらい持っているか、ネットワーク力がその人の価値を決める指標になると言っても過言ではありません。

中国人のネットワークは人の脳細胞のニューロンに似ています。いくつもの触手が手をつなぎあい、ネットワークを張り巡らせて情報交換をしながら、ビジネスの輪を広げていきます。会社を辞めても、仕事が変わっても、個人で培ってきたネットワーク力は変わりません。ネットワーク力は個人財産と考えて、こうしたネットワークをフルに活用してビジネスを行っていくのが中国人です。

中国人と良好な人間関係を構築していくには、結局のところ、相手に正面からしっかり向き合って、人と人との信頼関係を一歩ずつ構築していくことが近道になりそうです。本音で話し、本気で向き合い、本心から付き合うということです。しかし、これは中国ビジネスに限ったことではないかもしれません。日本人同士でも、欧米でも、その他の地域でも、人と人とのつながりを大切にするということは同じことだと思います。

本書ではこうした点を基本原則にして、中国ビジネスで注意すべきことを浮き彫りにして、できるだけ実践的にすぐに役立つ事柄に落とし込んで話を進めてきました。

中国人ビジネスマンの仕事観や就業意識、中国人の価値観、中国ビジネスを進める上での注意点、本書がみなさんが中国ビジネスを進める上での指標となり、基本テキスト的な存在としてご活用いただくことができれば幸いです。

日本人が中国人を理解しようとするとき、最大公約数的な言葉を当てはめて、ステレオタイプ的に理解しようとします。しかし、さまざまな価値観を持つ中国人をステレオタイプに当てはめて理解しようとすることは無理があります。むしろ、危険なことです。

中国人は最大公約数では括れない多種多様な価値観を持った人たちです。同じ中国人でも都市と農村、業界や職業、学歴や所得差、置かれている環境の違いによってさまざまな中国人が存在します。1人ひとりの個性の違いや価値観の違いもあるでしょう。こうした多種多様な価値観を持っている人たちの集合体が中国であるという前提で本書をお読みください。

本書では、「当たり前」を疑ってみようということも大きなテーマの1つです。自分たちが「当たり前」だと思っていることが、本当に「当たり前」のことなのか。日本人が「常識」だと思っていることが、世界から見ると実は「非常識」であるということがあります。こうした事実を謙虚に受け止め、中国ビジネスをもう一度見つめ直すきっかけになれば幸いです。

本書はできるだけ実践的な中国ビジネスのスキルを意識して執筆してきました。ぜひ、みなさん1人ひとりの現場に置き換えて、必要な部分と不要な部分をご判断いただきながら、何度も繰り返しお読みいただきたいと思います。本書がみなさんの異文化理解を深める上でのヒントとなり、中国ビジネススキルを学ぶ手助けとなれば幸いです。

## ■あとがき

「外向きの国際化」ではなく、「内側の国際化」が急務となってきました。

従来の「国際化」とは、海外に進出し、工場を建設し、海外市場を狙い、外向きに出て行くことが「国際化」でした。

しかし、今まさに中国人が日本に大挙して押し寄せてくる時代を迎えつつあります。中国人観光客、中国人の物産買い付けミッション、そして中国人投資家です。

日本国内でこうした中国人を迎えるための準備が急務となってきました。彼らのニーズを知り、商習慣を知り、ビジネスの進め方を知り、中国人観光客やビジネスパーソンを受け入れる準備が必要となってきました。これが「内側」から変えていく国際化です。

中国人投資家と中国マネーが大きなうねりとなって日本に押し寄せてきたとき、日本の中小企業はどのようなスタンスで迎えるべきでしょうか。地域経済を活性化するために、中国マネーをうまく利用することはできないでしょうか。

中国人と正面から向かい合って、積極的にビジネスを進めていくための準備はできているでしょうか。リスクとチャンスが交錯する中で、ますます中国人を理解すること、中国ビジネスを理解することが必要とされる時代になっています。

本書で取りあげた内容は、中国ビジネス理解のほんの一部です。これからもビジネスの現場からできるだけ多くの事例を集め、整理し、分析して、研修という形でフィードバックし、「中国人理解」と「中国ビジネス理解」を深めるための取り組みを行っていきたいと思います。

今回の執筆は、中国人と本音で、本気で、本心から向かい合うことの大切さを再確認し、もう一度自分自身にもしっかり言い聞かせるよい機会となりました。ビジネスは人つながりです。友人たちのネットワークの先にまだ知らない人たちとのつながりがあるかと思うと、何だかワクワクさせられます。

本書がみなさんにとって中国ビジネス理解を深めるきっかけを提供することができれば幸いです。ぜひ忌憚のないご意見やご感想をいただけますようお願いいたします。

本書の出版にあたってご尽力いただいた総合法令出版の田所陽一氏に感謝いたします。また、執筆の精神的な支えとなってくれたNPO法人アジアITビジネス研究会の仲間たちにも感謝の気持ちで一杯です。

最後に、本書の執筆中、今春、わが家では大きな目標に挑んだ娘が高いハードルをひとつクリアしました。二人三脚で目標を勝ち取った12歳の頑張りに敬意を表し、本書を捧げます。

２０１０年4月　著者

<著者紹介>

**吉村 章（よしむら・あきら）**

Taipei Computer Association（TCA）東京事務所 駐日代表
NPO 法人アジア IT ビジネス研究会 理事
独立行政法人中小企業基盤整備機構 国際化支援アドバイザー

1961 年生まれ。大学卒業後、台湾で日本語教育に従事。1996 年台湾最大の IT 関連業界団体である TCA へ移籍し、駐日代表として帰国、現在に至る。

IT 関連分野で日本企業の海外進出を支援。台湾からの製品調達や日台アライアンスのサポートなどが主たる業務。担当分野はコンピュータ及び周辺機器、電子部品、デジタル家電、通信、カーエレクトロニクスからゲーム、アニメ、ネットコンテンツなどの分野まで、幅広い領域をカバーしている。

台湾企業の中国進出が急拡大した 2001 年前後からは、中国における台湾企業のビジネス展開に関する情報提供、TCA が蘇州で主催する IT 関連見本市 eMEX の日本における出展窓口を務めるなど、日本企業の中国進出支援が主たる業務となっている。現在では IT 分野における日本、中国、台湾の 3 地域の事情がわかる専門家として活躍。特に、台湾活用型の中国ビジネスの可能性に注目し、各分野での三極間ビジネスアライアンスを提唱している。

また上記の経験を活かして、2003 年からは中国に進出する日本企業を対象に赴任者向け研修の講師を務めるようになり、現在では自身の中国での実体験やノウハウを体系化した「中国ビジネススキルアップ研修」を実施。異文化理解を基本とした Do's & Dont's プログラムや参加体験型の研修内容に定評がある。これまでの採用企業は、大手鉄鋼メーカー、大手広告代理店、航空会社、通信業者、船舶会社、自動車メーカー、自動車部品メーカー、電子部品メーカー、水産会社、化学素材メーカーなど。

Taipei Computer Association（TCA）東京事務所
　http://www.tcatokyo.com
NPO 法人アジア IT ビジネス研究会　http://www.asia-itbiz.com
メールアドレス　ippc@tcatokyo.com

## ■「中国ビジネススキルアップ研修」

http://www.tcatokyo.com/china.htm

実際のビジネスの現場での実体験やヒアリングをもとにした「ケーススタディ」を教材として、グループ単位で行うワークショップを中心とした参加・体験型の研修。コミュニケーションギャップを擬似的に再現し、体験する「ロールプレイ」や中国人を相手にした「交渉シミュレーション」などを取り入れて、現場ですぐに役に立つ、より実践的な内容を目指している。企業単位で実施する「企業研修」と「公開講座」があり、最近では出張者や赴任者だけでなく、中国ビジネスに携わるすべてのビジネスパーソンの受講が増えている。

企業研修では、「ケーススタディ」を取り入れるほか、駐在経験者の中国ビジネス経験をヒアリングして取りまとめ企業ごとの中国ビジネス対応マニュアルを制作するなどの取り組みを行うなど、企業として組織的に取り組む人材の育成、「中国力」の養成を提唱している。

**【内容】**

◇中国人ビジネスパーソンの仕事観・就業意識を理解する
◇中国人の価値観・考え方を理解する
◇中国人のビジネスの進め方・商習慣を理解する
◇中国人とのビジネス折衝・交渉術を理解する

**【対象】**

◇中国へ出張する機会や赴任の予定があるビジネスパーソン
◇企業の中国事業部、中国プロジェクトに携わるビジネスパーソン
◇中国ビジネスに携わる人材の育成や赴任者の人選・教育の担当者
◇中国からの研修生やビジネスミッションの受け入れ担当者
◇中国人観光客の接客やセールスに従事する現場担当者
◇将来、中国ビジネスへの参入を考えているビジネスパーソン

**※問い合わせ先**

クロスコスモス
〒151-0061 東京都渋谷区初台 1-51-1 初台センタービル 5F（TCA 内）
TEL：03-3299-8813　FAX：03-3299-8815　メール ippc@tcatokyo.com

すぐに役立つ
# 中国人とうまくつきあう実践テクニック

2010年5月10日　初版発行
2010年9月16日　2刷発行

著　者　吉村　章
発行者　野村直克
発行所　総合法令出版株式会社
〒107－0052　東京都港区赤坂1-9-15 日本自転車会館2号館7階
電話　03-3584-9821（代）
振替　00140-0-69059

印刷・製本　中央精版印刷株式会社

落丁・乱丁本はお取替えいたします。

ISBN 978-4-86280-207-1

総合法令出版ホームページ　http://www.horei.com